REALIEN ZUR LITERATUR

ABT. C:

SPRACHWISSENSCHAFT

ROBERT PETER EBERT

Historische Syntax des Deutschen

MCMLXXVIII
J. B. METZLERSCHE VERLAGSBUCHHANDLUNG
STUTTGART

CIP-Kurztitelaufnahme der Deutschen Bibliothek

Ebert, Robert Peter
Historische Syntax des Deutschen. – 1. Aufl. – Stuttgart:
Metzler, 1978.
  (Sammlung Metzler; M 167: Abt. C., Sprachwiss.)
  ISBN 3-476-10167-3

ISBN 3 476 10167 3

M 167

© J. B. Metzlersche Verlagsbuchhandlung und Carl Ernst Poeschel Verlag GmbH
in Stuttgart 1978. Satz und Druck: Gulde-Druck, Tübingen.
Printed in Germany

INHALT

EINLEITUNG XI

1.   GRUNDPROBLEME DER ERFORSCHUNG DES SPRACHWANDELS ...   1
1.1. Sprachwandel und Sprachsystem   1
1.2. Zur Beschreibung und Erklärung des Sprachwandels   4
1.3. Methodische Probleme der Erforschung älterer
      Sprachstufen   5

2.   TYPEN DES SYNTAXWANDELS 10
2.1. Syntaktische Umdeutung 10
2.2. Analogie 15
2.3. Entlehnungen 16
2.4. Wandel des Sprachtyps 18
2.5. Psychologische Faktoren 18

3.   AUSGEWÄHLTE PROBLEME AUS DER HISTORISCHEN SYNTAX
      DES DEUTSCHEN 19
3.1. Die Entwicklung des zusammengesetzten Satzes 19
3.1.1. Parataxe und Hypotaxe 19
3.1.2. Relativsätze.. 21
3.1.3. Zur Geschichte der deutschen daß-Sätze 25
3.1.4 Infinitivsätze... 28
3.1.5. Zusammengesetzter Satz und Elementarsatz 32
3.2. Verbstellung 34
3.3. Die Substantivgruppe 43
3.3.1. Entstehung des Artikels 43
3.3.2. Die Stellung der Adjektiv- und Genitivattribute 45
3.3.3. Erweiterte Adjektiv- und Partizipialattribute 46
3.3.4. Der Ausbau der Substantivgruppe 49
3.4. Prädikate und Ergänzungen 50
3.4.1. Einleitendes 50
3.4.2. Veränderungen im Objektbereich 51
3.4.3. Veränderungen im Subjektbereich 53
3.5. Die Entwicklung periphrastischer Verbalformen:
      Perfekt, Futur, Passiv................................. 57
3.5.1. Die »Perfekt«periphrase: sein/haben + Part. Prät. 57
3.5.2. Futurperiphrasen 60
3.5.3. Die Passivperiphrasen 61

4.   BIBLIOGRAPHIE....................................... 65

ae.	altenglisch	idg.	indogermanisch
ags.	angelsächsisch	Inf.	Infinitiv
ahd.	althochdeutsch	lat.	lateinisch
Akk.	Akkusativ	mhd.	mittelhochdeutsch
an.	altnordisch	MHG	Middle High German
as.	altsächsisch	mnl.	mittelniederländisch
Dat.	Dativ	nhd.	neuhochdeutsch
dt.	deutsch	Nom.	Nominativ
engl.	englisch	Obj.	Objekt
frnhd.	frühneuhochdeutsch	OHG	Old High German
frz.	französisch	Part.	Partizip
Gen.	Genitiv	Präs.	Präsens
germ.	germanisch	Prät.	Präteritum
got.	gotisch	TG	Transformationsgrammatik
griech.	griechisch	Vf.	Verbum finitum

AASF	Suomalaisen Tiedeakatemian Toimituksia / Annales Academiae Scientiarum Fennicae, Series B. Helsinki.
ABäG	Amsterdamer Beiträge zur älteren Germanistik. Amsterdam.
ADA	Anzeiger für deutsches Altertum und deutsche Literatur. Wiesbaden.
ALH	Acta Linguistica Academiae Scientiarum Hungaricae. Budapest.
APhS	Acta Philologica Scandinavica. Tidsskrift for nordisk sprogforskning. Copenhagen.
ArchL	Archivum Linguisticum. Glasgow.
ASNS	Archiv für das Studium der neueren Sprachen und Literaturen. Braunschweig.
Behaghel	Behaghel, O. Deutsche Syntax. Eine geschichtliche Darstellung, 4 Bde. Heidelberg: Winter 1923–32.
BerL	Berichte über die Verhandlungen der Sächsischen Gesellschaft der Wissenschaften zu Leipzig, phil.-hist. Klasse.
BNF	Beiträge zur Namenforschung. Neue Folge. Heidelberg.
BSVL	Beiträge zur Sprachwissenschaft, Volkskunde und Literaturforschung. Wolfgang Steinitz zum 60. Geburtstag. Berlin: Akademie-Verlag 1965.
CLS 7	Papers from the Seventh Regional Meeting. Chicago Linguistic Society. 1971.

CLS 8	Papers from the Eighth Regional Meeting. Chicago Linguistic Society. 1972.
Current Progress	Current progress in historical linguistics. Proceedings of the Second International Conference on Historical Linguistics. Hrsg. v. W. Christie. Amsterdam: North Holland 1976.
Current Trends	Current Trends in Linguistics. Hrsg. v. T. Sebeok. The Hague: Mouton 1963 ff.
Dal	Dal, I. Kurze deutsche Syntax auf historischer Grundlage. 3. Aufl. Tübingen: Niemeyer 1966.
Dal, Untersuchungen	Dal, I. Untersuchungen zur germanischen und deutschen Sprachgeschichte. Oslo: Universitetsforlaget 1971.
Dia Syn	Papers from the Parasession on Diachronic Syntax. Hrsg. v. S. Steever et al. Chicago: Chicago Linguistic Society 1976.
DU	Der Deutschunterricht. Stuttgart.
DWb	Grimm, J. und W. Deutsches Wörterbuch. 16 Bde. Leipzig: Hirzel 1854–1960. Neubearbeitung 1965 ff.
FL	Foundations of Language. Dordrecht.
FoL	Folia Linguistica. Acta Societatis Linguisticae Europae. The Hague.
GermL	Germanistische Linguistik. Berichte aus dem Forschungsinstitut für deutsche Sprache, Marburg/Lahn. Hildesheim.
GLL	German Life and Letters. Oxford.
Historical Linguistics	Historical Linguistics. Proceedings of the First International Conference on Historical Linguistics. Hrsg. v. J. Anderson und C. Jones. 2 Bde. Amsterdam: North Holland 1974.
Historizität	Historizität in Sprach- und Literaturwissenschaft. Vorträge und Berichte der Stuttgarter Germanistentagung 1972. Hrsg. v. W. Müller-Seidel. München: Fink 1974.
IF	Indogermanische Forschungen. Zeitschrift für Indogermanistik und allgemeine Sprachwissenschaft. Berlin.
JEGP	The Journal of English and Germanic Philology. Urbana, Ill.
JEL	Journal of English Linguistics. Bellingham, Wash.
Kratylos	Kratylos. Kritisches Berichts- und Rezensionsorgan für indogermanische und allgemeine Sprachwissenschaft. Wiesbaden.
Kurzer Grundriß	Kurzer Grundriß der germanischen Philologie bis 1500. Hrsg. v. L. E. Schmitt. Berlin: de Gruyter 1970.

KZ	Zeitschrift für vergleichende Sprachforschung auf dem Gebiete der indogermanischen Sprachen, begründet von A. Kuhn. Göttingen.
LB	Leuvense Bijdragen. Tijdschrift voor Germaanse filologie. Leuven.
LBer	Linguistische Berichte. Braunschweig.
Lg	Language. Journal of the Linguistic Society of America. Baltimore.
LGL	Lexikon der Germanistischen Linguistik. Hrsg. v. H. P. Althaus, H. Henne und H. E. Wiegand. Tübingen: Niemeyer 1973.
LIn	Linguistic Inquiry. Cambridge, Mass.
Lingua	Lingua. International Review of General Linguistics. Amsterdam.
Linguistics.	Linguistics. An International Review. The Hague.
Lockwood	Lockwood, W. B. Historical German syntax. Oxford: Oxford University Press 1968.
MLR	Modern Language Review. Cambridge.
Monatshefte	Monatshefte für deutschen Unterricht. Madison, Wisconsin.
MSS	Münchner Studien zur Sprachwissenschaft. München.
Mu	Muttersprache. Zeitschrift zur Pflege und Erforschung der deutschen Sprache. Mannheim.
Neoph	Neophilologus. Groningen.
NPhM	Neuphilologische Mitteilungen. Helsinki.
NS	Die neueren Sprachen. Frankfurt a. M.
NTS	Norsk Tidsskrift for Sprogvidenskap / Norwegian Journal of Linguistics. Oslo.
Orbis.	Orbis. Bulletin international de documentation linguistique. Louvain.
Paul	Paul, H. Deutsche Grammatik. 5 Bde. Halle: Niemeyer 1916–1920.
PBB(H)	Beiträge zur Geschichte der deutschen Sprache und Literatur. Halle.
PBB(T)	Beiträge zur Geschichte der deutschen Sprache und Literatur. Tübingen.
PhP	Philologica Pragensia. Praha.
PhQ	Philological Quarterly. Iowa City, Iowa.
SL	Studia Linguistica. Lund.
RLaV	Revue des Langues Vivantes / Tijdschrift voor Levende Talen. Bruxelles.
SFFBU	Sborník Prací Filosofické Fakulty Brněnské University. Brno. A = Řada jazykovědná.
Schröbler	Schröbler, I. Syntax, in: H. Paul. Mittelhochdeutsche Grammatik. 20. Aufl. von H. Moser und I. Schröbler. Tübingen: Niemeyer 1969.

SGerm	Studi Germanici. Nuova Serie. Roma.
SNPh	Studia Neophilologica. A Journal of Germanic and Romanic Philology. Uppsala.
Sprachwandel	Sprachwandel. Reader zur diachronischen Sprachwissenschaft. Hrsg. v. D. Cherubim. Berlin: de Gruyter 1975.
TMD	Theorie, Methode und Didaktik der historisch-vergleichenden Sprachwissenschaft. Hrsg. v. J. Untermann. Wiesbaden: Reichert 1973.
UZL	Učenye zapiski Leningradskogo gosudarstvennogo universiteta imeni. A. A. Ždanova. Leningrad.
Word	Word. Journal of the International Linguistic Association, formerly Linguistic Circle of New York. New York.
WuS	Wörter und Sachen. Heidelberg.
WW	Wirkendes Wort. Düsseldorf.
WZUB	Wissenschaftliche Zeitschrift der Humboldt-Universität Berlin. Gesellschafts- und sprachwissenschaftliche Reihe.
ZDA	Zeitschrift für deutsches Altertum und deutsche Literatur. Wiesbaden.
ZDL	Zeitschrift für Dialektologie und Linguistik. Wiesbaden.
ZDPh	Zeitschrift für deutsche Philologie. Berlin.
ZDS	Zeitschrift für deutsche Sprache. Berlin.
ZDW	Zeitschrift für deutsche Wortforschung. Berlin.
ZGL	Zeitschrift für germanistische Linguistik. Berlin.
ZMF	Zeitschrift für Mundartforschung. Wiesbaden.
ZPSK	Zeitschrift für Phonetik, Sprachwissenschaft und Kommunikationsforschung. Berlin.
ZRPh	Zeitschrift für romanische Philologie. Tübingen.
Zur Theorie	Zur Theorie der Sprachveränderung. Hrsg. v. G. Dinser. Kronberg: Scriptor 1974.

Dieser Band ist als Einführung in die Erforschung der historischen Syntax des Deutschen gedacht. Heute definiert man die »Syntax« meist innerhalb einer der vielen konkurrierenden expliziten Syntaxtheorien und schränkt das Untersuchungsgebiet dementsprechend ein. Die Anwendung solcher Theorien auf Probleme der historischen Syntax liegt jedoch erst in Ansätzen vor, und die Ergebnisse sind umstritten. Da ich in diesem Bändchen die verschiedenen Theorien nicht auf die Probe stellen kann, möchte ich unseren Problemkreis nicht nach *einer* gegebenen Theorie einschränken. Deshalb habe ich in Kapitel 3 als Probleme der historischen »Syntax«des Deutschen in den meisten Fällen Sprachentwicklungen ausgewählt, mit denen sich die historische Syntaxforschung über mehr als ein Jahrhundert wiederholt beschäftigt hat, und die immer noch fruchtbaren Boden für neue Ansätze bieten. Es werden u. a. behandelt: Parataxe und Hypotaxe (3.1.1.), *daß*-Sätze (3.1.3.), Relativsätze (3.1.2.), Konstruktionen mit *zu* + Inf. (3.1.4.), *um . . . zu* + Inf. (3.1.4.), der bestimmte und unbestimmte Artikel (3.3.1.), das erweiterte Adjektiv- und Partizipialattribut (3.3.3.), Kasus- und Präpositionalobjekte (3.4.2.), der Rückgang des Genitivs als Objektkasus (3.4.2.), persönliche und unpersönliche Konstruktionen (3.4.3.), das »Scheinsubjekt« *es* (3.4.3.), die periphrastischen Verbalformen *haben/sein* + Part. Prät. (»Perfekt« – 3.5.1.), *werden* + Inf. (Futur – 3.5.2.) und *werden/sein* + Part. Prät. (Passiv – 3.5.3.), die Verbstellung im Haupt- und Nebensatz (3.2.) und die Stellung des attributiven Adjektivs und Genitivs (3.3.2.). Bei meiner Darstellung handelt es sich mit Ausnahme des *bekommen*-Passivs, S. 63 f., durchweg um die geschriebene deutsche Sprache. In manchen Fällen wäre eine Darstellung der Variation in den Mundarten und Umgangssprachen gewiß lehrreich, dazu fehlen aber die Vorarbeiten.

Bei der Darstellung ausgewählter Entwicklungen im Deutschen richte ich mein Augenmerk vor allem auf Typen von Argumenten und Erklärungen. Dieser Darstellung lasse ich daher ein Kapitel über theoretische und methodische Probleme der historischen Sprachwissenschaft und ein Kapitel über Typen des Syntaxwandels vorausgehen. Die Besprechung der Theorie setzt mit den neuesten Versuchen an, die von *F. de Saussure* begründete Dichotomie Synchronie-Diachronie zu überwinden, und setzt eine gewisse Kenntnis dieser Problematik voraus. Einen Einstieg in die theoretischen Probleme gewinnt man durch die in der Bibliographie, Teil A1 und A2, aufgeführte Literatur. Die Behandlung der methodischen Probleme, der Typen des Wandels und der verschiedenen Sprachentwicklungen im Deutschen ist jedoch auch ohne solche Kenntnisse ohne weiteres verständlich.

Im großen Ganzen bediene ich mich bei der Darstellung in Kapitel 3 der Termini der traditionellen Grammatik, hin und wieder gut eingebürgerter Begriffe aus der generativen Grammatik und der Dependenzgrammatik.

Während im Text die Entwicklungen in Auswahl dargestellt werden, führe ich in der Bibliographie Arbeiten aus allen Gebieten der historischen Syntax des Deutschen auf; sie umfaßt diachronische Darstellungen sowie synchronische Arbeiten zu älteren Stufen des Deutschen. Die Beiträge werden nach den gewöhnlichen Kategorien der traditionellen Grammatik eingeteilt. Der bibliographische Teil dieses Buches dient als Ergänzung für die Jahre ca. 1925–75 zu den Literaturangaben bei *O. Behaghel* (»Deutsche Syntax«. 4 Bde. Heidelberg, 1923–32) und kann auch zusammen mit den kurzen Darstellungen von *I. Dal* (»Kurze deutsche Syntax auf historischer Grundlage«. 3. Aufl. Tübingen, 1966) und *W. B. Lockwood* (»Historical German syntax«. Oxford, 1968), die keine Literaturhinweise bieten, benutzt werden. Die Abschnitte zur Theorie (A,B,C,) sind freilich nicht erschöpfend. Arbeiten zum Indogermanischen werden gewöhnlich nur dann aufgeführt, wenn im Text darauf hingewiesen wird. Komparativ angelegte Arbeiten zum Germanischen werden aufgenommen, Arbeiten zu den altgermanischen Einzelsprachen außer dem Althochdeutschen dagegen nur in einigen wenigen Fällen. Auch nicht aufgenommen werden rein synchronische Arbeiten zum heutigen Deutsch. Rezensionen erscheinen meist nur, wenn im Text darauf hingewiesen wird. In slawischen Sprachen verfaßte Arbeiten habe ich wegen Ausleih- und Sprachschwierigkeiten in vielen Fällen leider nicht berücksichtigen können. Für Hinweise auf einschlägige Beiträge aus allen Gebieten der Forschung wäre ich dankbar.

Hinweise auf die in der Bibliographie aufgeführte Literatur werden im Text in der Form (*Brinkmann*, E3, 45) angegeben; d. h. Teil E3 der Bibliographie, *H. Brinkmann*, »Sprachwandel und Sprachbewegungen in ahd. Zeit«, S. 45. Wenn sich in einem Teil der Bibliographie mehrere Beiträge vom selben Verfasser befinden, wird auch ein Stichwort angegeben, z. B. *Pollak*, F4, »Zur Methode«, 131.

Ich habe Herrn Prof. Herbert Penzl (Berkeley) und Herrn Prof. George Metcalf (Chicago/Santa Cruz) für wertvolle Hinweise zu danken.

Chicago, im August 1977 Robert Peter Ebert

1. Grundprobleme der Erforschung des Sprachwandels

1.1. Sprachwandel und Sprachsystem

Die historische Sprachwissenschaft hat als Gegenstand der Betrachtung den Sprachwandel. Wir können mit *E. Coseriu* (A2, »Synchronie, Diachronie und Geschichte«, 56 f.) drei Probleme des Sprachwandels unterscheiden: (1) das *rationale* Problem des Wandels = Warum verändern sich die Sprachen?; (2) das *generelle* Problem des Wandels = Unter welchen Bedingungen treten Veränderungen auf?; und (3) das *historische* Problem eines bestimmten Wandels. Zum rationalen Problem siehe *Coseriu*, S. 58 ff. Die generellen und historischen Problemkreise berühren einander; denn (1) die Ergebnisse von Untersuchungen zu konkreten historischen Veränderungen tragen das Wesentliche zum Studium der allgemeinen Typen des Wandels und der Bedingungen bei, (2) das über bestimmte Sprachveränderungen Bekannte bietet Hypothesen für die Lösung neuer historischer Probleme, und (3) Hypothesen über die Bedingungen des Wandels werden anhand von neuen konkreten Problemen überprüft und revidiert. Die Behandlung der generellen und historischen Probleme des Sprachwandels hängt weitgehend davon ab, unter welchen Gesichtspunkten das Phänomen Sprache betrachtet und beschrieben wird. Ein extremer Standpunkt legt das Hauptgewicht auf den Menschen als Sprachbenutzer und die Sprache als Teil seines Handelns. In diesem Fall sind aber Generalisierungen und damit erklärende Theorien wegen der Größe und Heterogenität der Datenmenge (psychologischer und soziologischer Faktoren) kaum möglich. Im anderen Extrem wird die Sprache als eine über dem Menschen stehende Abstraktion betrachtet. Damit wird zwar eine erhebliche Forschungsökonomie geleistet, aber sie wird auf Kosten der empirischen Rechtfertigung der dadurch entstandenen Generalisierungen und Theorien erkauft (dazu *Cherubim*, A1, »Sprachwandel, Individuum und Gesellschaft«). Die neuere Diskussion über den Sprachwandel wird gerade durch die Auseinandersetzung mit diesen stark reduzierenden Tendenzen in der Sprachwissenschaft charakterisiert. Man versucht, die Auffassung von Sprache als System von Zeichen und Regeln mit der theoretischen Erfassung der faktischen Heterogenität von Sprachen und der Rolle des kommunizierenden Menschen in Einklang zu bringen. Wir können als Beispiele Arbeiten zum Problem von Sprachwandel und Sprachsystem von *E. Coseriu*, *S. Kanngießer* und *U. Weinreich/W. Labov/M. Herzog* nehmen, die den Fragenkreis jeweils aus der Perspektive des funktionellen Strukturalismus, der generativen Grammatik und der Soziolinguistik betrachten.

E. Coseriu geht aus von *Humboldts* Auffassung der Sprache als freier und zweckgerichteter, schöpferischer Tätigkeit. Nach dieser Auffassung ist die Sprache ein technisches Vermögen, ein offenes System von Verfahren oder Verfahrensregeln. *Coseriu* unterscheidet innerhalb der technischen Verfahren drei funktionelle Ebenen: Norm, System und Sprachtyp. Die Norm ist die in der Sprache einer bestimmten Gemeinschaft verwirklichte Technik, ein System von verbindlichen, sozial und kulturell festgelegten Realisierungen. Das System »stellt die Gesamtheit der funktionellen (distinktiven) Oppositionen dar, die in einer und derselben Sprache festgestellt werden können, sowie die distinktiven Regeln, nach denen diese Sprache gesprochen wird, und, daraus folgend, die funktionellen Grenzen ihrer Variabilität (*Coseriu*, A2, »Synchronie, Diachronie und Typologie«, 79)«. Das System ist für Sprecher und Hörer ein System von Möglichkeiten und geht über das historisch Verwirklichte hinaus, weil es das nach den bestehenden Regeln Realisierbare enthält. Der Sprachtyp ist die höchste strukturelle Ebene der Sprache. Der Typ enthält die Verfahrenstypen und die Kategorien von Oppositionen des Systems. Was vom Standpunkt einer bestimmten strukturellen Ebene her diachronisch (Wandel) ist, erscheint auf einer höheren Ebene als synchronisch (Funktionieren). Verschiebungen in der Norm erscheinen als historische Verwirklichung irgendwelcher bereits im System existierenden Möglichkeiten. Die Sprachbeschreibung wird als Beschreibung einer noch nicht abgeschlossenen Technik und die Sprachgeschichte als historische Realisierung dieser Technik verstanden.

In zwei rein theoretischen Arbeiten zielt *S. Kanngießer* (A2) im Rahmen der generativen Grammatik auf die Integration der synchronen und diachronen Aspekte der Sprachbetrachtung. Die Annahme eines idealen Sprecher-Hörers in einer völlig einheitlichen Sprachgemeinschaft wird zugunsten einer schwächeren Idealisierung aufgegeben: Sprecher-Hörer, deren Kompetenzen nur geringfügig voneinander abweichen, werden zu Sprecher-Hörer Gruppen zusammengefaßt. *Kanngießers* Modell besteht daher (1) aus einem System von distinkten, gruppenspezifischen, koexistierenden Grammatiken und (2), weil Sprecher-Hörer auch fähig sind, ihre Sprachkenntnisse zu erweitern, aus den Prozessen der grammatischen Extension. Die Synchronie und Diachronie wird durch eine Doppelinterpretation dieses Koexistenzmodells integriert. Synchron gesehen zielt die Erweiterung von Sprachkenntnissen auf einen Ausgleich der Inhomogenität und erleichtert die Kommunikation zwischen Mitgliedern einer Sprachgemeinschaft. Mit diesem Ausgleich verbindet sich notwendigerweise eine Veränderung der einer Sprachstruktur zugrundeliegenden Kompetenzen. Das Koexistenzmodell soll es ermöglichen, dem Ansatz *Coserius* ähnlich, Sprachzustände als sich entwickelnde Systeme aufzufassen (zum Problem des Sprachzustands, siehe *Lieb*, A2).

Die Arbeiten *Coserius* und *Kanngießers*, die sich auf verschiedene Weise mit der Auffassung von der Diachronie als dem Vergleich einer Reihe von stabilen, homogenen Sprachzuständen auseinandersetzen, haben sich vor allem mit sprachinternen Aspekten des Wandels beschäftigt. Auf Grund empirischer Untersuchungen über das Funktionieren der Sprache im sozialen Kontext fordern *Weinreich/Labov/Herzog* in ihren programmatischen »Empirischen Grundlagen einer Theorie des Sprachwandels« (»Empirical Foundations for a Theory of Language Change«, A1) die Überwindung der traditionellen Identifikation von Struktur und Homogenität und eine Theorie des Sprachwandels, die von »geordneter Heterogenität«, von einer vielschichtigen Kompetenz mit nach Alter, Gruppe und Situation variierenden Größen ausgeht. *Weinreich/Labov/Herzog* stellen folgende Forderungen an eine Theorie des Sprachwandels: (1) Welche Veränderungen sind möglich, welche (universalen) Bedingungen gibt es? (constraints problem); (2) welche Zwischenstufen müssen zwischen zwei unterschiedlichen Sprachzuständen angenommen werden, wie vollzieht sich der Übergang? (transition problem); (3) wie sind die beobachteten Veränderungen in dem sprachlichen und sozialen Kontext »eingebettet«? (embedding problem); (4) wie werden die Auswirkungen von Veränderungen im Hinblick auf die Sprachstruktur, die kommunikative Leistung und ihre soziale Funktion bewertet? (evaluation problem); (5) was löst Veränderungen aus? warum treten Veränderungen in einer bestimmten Sprache zu einer bestimmten Zeit auf? (actuation problem). Mit dieser Formulierung der Probleme des Sprachwandels werden traditionelle Probleme in einen neuen Zusammenhang gestellt: die ›constraints‹ und ›transition‹ Probleme entsprechen den internen, strukturellen Bedingungen, die ›embedding‹ und ›evaluation‹ Probleme den externen, sozialen Bedingungen und die ›actuation‹ Frage dem Problem der auslösenden Ursachen des Wandels (*Cherubim*, A1, »Einleitung«, 48). In den soziolinguistischen Arbeiten *Labovs* und in den »Empirischen Grundlagen« wird versucht, die von *Saussure*, dem diachronischen Strukturalismus und der generativen Grammatik angenommene starke Idealisierung des Untersuchungsgebietes mit einer umfassenderen Konzeption der Sprache zu integrieren.

3

1.2. Zur Beschreibung und Erklärung des Sprachwandels

Es ist das Ziel unserer Wissenschaft, ihr Objekt, den Sprachwandel, korrekt zu beschreiben und zu erklären. Für die historische Sprachwissenschaft ergeben sich besondere Probleme, weil sie eben *Sprach*wissenschaft ist, und weil sie mit historischen Ereignissen zu tun hat. Die Beschreibung in der Sprachwissenschaft ist mehr als die bloße Schilderung von Beobachtungen: die Bestimmung des Objektbereichs, die Abgrenzung von Kategorien und die Entwicklung von Beschreibungsverfahren setzen schon gewisse theoretische Annahmen voraus. In der post-Saussureschen komparativistischen Diachronie ist die Beschreibung und Typologie des Wandels weitgehend vom synchronen Beschreibungsmodell abhängig. Die Annahmen der synchronen Komponente einer umfassenden Sprachtheorie müssen daher daraufhin überprüft werden, ob sie eine adäquate Auffassung der Diachronie ermöglichen; vgl. die Kritik an der Homogenitätsannahme in 1.1.. Beschreibungen des Sprachwandels können ihrerseits Licht werfen auf die Form der synchronen Theorie, indem man fragt, ob z. B. gewisse Konventionen der synchronen Komponente eine Rolle beim Sprachwandel spielen.

In der historischen Sprachwissenschaft finden sich keine streng wissenschaftlichen Erklärungen. Hier, besonders in älteren Arbeiten, besteht die Erklärung im allgemeinen in dem Versuch, die Ursachen (Kausalität) oder das Ziel (Teleologie) einer bestimmten Sprachveränderung zu geben, seien es strukturelle, funktionelle, psychische oder soziale Faktoren. Oft hat die Erklärung die Form eines einzigen *weil*- oder *damit*-Satzes. Von einem Naturwissenschaftler wird die Frage: »Warum kommt dieses Phänomen vor?« in folgendem Sinn interpretiert: »auf Grund von welchen Antecedensdaten und gemäß welchen Gesetzen kommt dieses Phänomen vor?« (*Stegmüller*, B3, 83). Aus den Antecedensbedingungen und allgemeinen Gesetzmäßigkeiten kann die Beschreibung des zu erklärenden Ereignisses logisch abgeleitet werden. Je nach der Art der Gesetzmäßigkeiten unterscheidet man zwischen einer deduktiv-nomologischen Erklärung, in der die verwendeten Gesetzeshypothesen deterministisch (nomologisch) sind, und einer probabilistischen Erklärung, bei der bloß statistische Gesetzesannahmen zur Verfügung stehen. Von einigen Sprachwissenschaftlern wird angenommen, daß es allgemeine Gesetze der Sprachveränderung gibt; vgl. *R. Bartsch* und *T. Vennemann,* »Sprachtheorie«, in ›LGL‹, 39: »Nur aufgrund dieser . . . Auffassung läßt sich eine allgemeine Theorie der Grammatikveränderung anstreben, die bei gegebenen Anfangsbedingungen – einer gegebenen Grammatik – Vorhersagen über die zukünftige Entwicklung gestattet oder, was auf dasselbe hinausläuft, bereits eingetretene Veränderungen erklärt«. Dagegen läßt sich einwenden, daß die Sprache ihrer Natur nach nicht-deterministisch ist, daß man wegen der Ausdrucksfreiheit der Sprecher nur sagen kann, welche Arten von Veränderungen unter diesen oder jenen Bedingungen werden eintreten können, aber nicht ob sie tatsächlich eintreten werden. Die allgemeinen Gesetze des Sprachwandels sind daher Gesetze von Möglichkeiten (dazu *Coseriu*, A2, »Synchronie, Diachronie und Geschichte«, 201–205). In gewissen Fällen wird man wohl auch über die Wahrscheinlichkeit von Sprachveränderungen Aussagen machen können: In der Phonologie kann man auf Grund von Verallgemeinerungen über die Ergebnisse der zahlreichen empirischen Untersuchungen zum Lautwandel sowie Untersuchungen der physiologischen und akustischen Faktoren den *wahrscheinlichen Verlauf* bestimmter Typen des Wandels voraussagen (siehe *M. Chen*, B3). Die Tatsache, daß Vorhersagekraft im Sinne der Naturwissenschaften ausgeschlossen ist, soll uns aber nicht davon abhalten, die Typen des Wandels empirisch zu untersuchen und Verallgemeinerungen über den Prozeß des Wandels zu formulieren.

1.3. Methodische Probleme der Erforschung älterer Sprachstufen

Sagen wir es einfach: der Linguist, der eine ältere Sprachstufe beschreibt, hat es besonders schwer. Weil seine Argumente oft notwendigerweise auf spärlichem Belegmaterial aufgebaut sind und eine notwendige Subjektivität bei der Interpretation der Belege involvieren, muß er bei älteren Sprachstufen besonders um Zuverlässigkeit bei der Erhebung, Behandlung und Beschreibung sprachlicher Daten bestrebt sein. Er muß nicht nur über gründliche Kenntnisse linguistischer Theorien und Beschreibungsverfahren verfügen, sondern auch über die mühsam erworbenen Kenntnisse des Philologen. Seine Arbeit erfordert viel Geduld und große Gewissenhaftigkeit.

Bei diachronischen Untersuchungen wirft die Quellenwahl besondere Probleme auf. Nur in seltenen Fällen wird man allein von dem Material in Wörterbüchern und Grammatiken ausgehen können. Das Belegmaterial ist gewöhnlich nicht umfangreich genug, dazu häufig nicht systematisch gesammelt, sondern aus anderen Arbeiten übernommen. Von der Häufigkeit und dem Gebrauch einer Konstruktion bekommt man leicht einen falschen Eindruck, weil Grammatiker oft dazu neigen, eigenartige Fügungsarten und Gebrauchsweisen zu betonen. Meist wird man selber eine repräsentative Auswahl der Dokumente anschaffen müssen und das Belegmaterial daraus schöpfen. Gewöhnlich versucht man, vergleichbare Texte aus verschiedenen Zeiten zu behandeln. Dies ist besonders schwierig, weil die literarischen Formen wechseln und weil vergleichbare Formen nicht zu allen Zeiten gleich stark vertreten sind. Ideal wäre die Untersuchung einer großen Zahl von Denkmälern aus vielen Sprachstufen und vielen Stilgattungen. Praktisch läßt sich ein solches Unternehmen von einem einzelnen Forscher nur durchführen, wenn er von ziemlich kleinen Stichproben ausgeht. Es kommt freilich auf die Art und Häufigkeit des untersuchten Phänomens an, wie umfangreich die Stichproben sein müssen, um uns ein repräsentatives Bild des Gebrauchs zu geben. Im allgemeinen sollte man eher die untersuchte Zeitspanne einschränken und ein Stück der Entwicklung gründlich darstellen, als eine wegen des zu geringen Umfangs der Stichproben unzuverlässige Darstellung der Gesamtentwicklung bieten. Sehr wertvoll wären genaue Untersuchungen zur syntaktischen Variation in verschiedenen Stilgattungen einer eingeschränkten Zeit, denn in glücklichen Fällen können solche eingehenden Untersuchungen Wesentliches zur Kenntnis der Einbettung von Sprachveränderungen im sozialen Kontext beitragen. Die mehrfache, zeitlich und geographisch abweichende Überlieferung desselben Textes eignet sich zur Untersuchung sich ablösender Formen und Konstruktionen; beispielhaft dafür ist *W. Besch*, »Sprachlandschaften und Sprachausgleich im 15. Jahrhundert«, München: Francke 1967. Natürlich soll man sich gründlich über Entstehungsort und -zeit, Schreiber und Zweck eines Textes informieren und die Daten der richtigen Sprach- bzw. Stilschicht zuschreiben.

Es lohnt sich, womöglich als Korpus lexikalisch erschlossene Texte zu verwenden. Wortindizes und Konkordanzen sind besonders wertvolle Hilfsmittel. In den meisten Fällen verwendet man edierte Texte, weil sie viel leichter zugänglich sind als Handschriften und Frühdrucke und weil der Kommentar des Herausgebers über seltene Wörter und Formen, über Autor und Überlieferung die Arbeit erleichtert. Man muß aber beim Umgang mit edierten Texten sehr vorsichtig sein. Man muß sich informieren, nach welchen Editionsmethoden der Herausgeber verfährt, und bei kritischen Ausgaben immer den Apparat einsehen, um sicher zu sein, daß Argumente und Analysen nicht auf Emendationen des Herausgebers beruhen. Daher versteht es sich, daß man niemals einen kritischen Text ohne Apparat benutzen soll. Der Apparat bietet auch wertvolles Material zu konkurrierenden Formen.

Womöglich soll man von Prosatexten ausgehen, in denen der normale Gebrauch nicht von den Bedürfnissen von Reim und

Rhythmus beeinflußt wird. Poetische Texte haben insofern ihren Wert, als in ihnen oft altertümliche Formen und Konstruktionen erhalten sind. Originaltexte sind Übersetzungstexten vorzuziehen. Wo die Verwendung von Übersetzungstexten unvermeidlich ist, wie bei der Erforschung des Gotischen und Ahd., achtet man auf die Unterschiede, denn die Abweichungen vom fremdsprachlichen Original zeigen uns nicht nur gewöhnlich den echt heimischen Gebrauch, sondern auch, was *nicht* in der Sprache der Übersetzung gesagt werden kann, d. h. fremdsprachliche Konstruktionen, deren genaue Nachbildung in der Übersetzungssprache ungrammatisch wären. Wo Übersetzung und Original übereinstimmen, müssen originale Texte in der Übersetzungssprache oder nahe verwandten Sprachen herangezogen werden, um festzustellen, ob es sich um eine syntaktische Entlehnung oder eine mögliche Konstruktion in der Übersetzungssprache handelt.

Bei der Behandlung der Daten nehmen wir an, daß die heute um uns wirksamen Sprachprozesse auch in früheren Zeiten wirksam waren (das »uniformitarian principle«, *W. Labov*, B1, 423). So können wir anhand von den umfangreichen, zuverlässigen Datenmengen der heutigen Sprache die soziale und geographische Variation und den Sprachwandel im Verlauf untersuchen und auf Grund von diesen Ergebnissen für weniger gut belegte Sprachstufen ähnliche Veränderungstypen feststellen (vgl. *Labov*, A1). Im Gegensatz zu der heutigen Sprache haben wir für frühere Stufen den Vorteil, daß wir gewöhnlich nicht nur wissen, was schon da war, sondern auch, was sich nachher entwickelte. Dem »uniformitarian principle« gegenüber steht die ethnozentrische Betrachtungsweise: man versucht linguistische Phänomene mit Bezug auf die Weltanschauung einer gegebenen Zeit und Kultur zu beschreiben und zu erklären. Es mag sein, daß die Menschen einer früheren Zeit die Welt auf von uns unterschiedliche Weise betrachtet haben, aber es läßt sich als Erklärung von sprachlichen Phänomenen der Verweis auf andere Sehensweisen, usw. empirisch kaum überprüfen.

Der Ausgangspunkt vieler Entwicklungen im Deutschen liegt noch vor der Überlieferung. Die prähistorischen Verhältnisse müssen wir durch den Vergleich der verschiedenen germ. und idg. Sprachen erschließen. Wie die Rekonstruktion in der Phonologie und der Morphologie beruht die syntaktische Rekonstruktion auf dem Aufsuchen und Zusammenstellen von Entsprechungen (engl. *correspondences*) in genetisch verwandten Sprachen: »Die Entsprechungen für die vergleichende germanische Syntax bestehen aus der gleichartigen Struktur von Wortgruppen, Sätzen und Satzverbindungen und der gleichartigen Verwendung flektierender und nichtflektierender Wortarten und der nominalen (Kasus, Zahl, Genus) und verbalen (Tempus, Modus, Genus) Formen in den Texten der altgermanischen Einzelsprachen (*Penzl*, B1, 128)«. Seit einigen Jahren versucht *W. P. Lehmann* (B2, E1, E2), die Wortstellung des Idg. und Germ. nach neuen methodischen Grundsätzen zu rekonstruieren. *Lehmann* geht von *J. Greenbergs* Wortstellungstypologie aus und nimmt an, daß Sprachen, die nicht alle Merkmale eines konsistenten Typs aufweisen, dem Wandel unterliegen. Durch Rekonstruktion versucht er zum früheren konsistenten Typ vorzudringen. Zur Kritik an dieser Methode siehe *Friedrich*, E1 und *Watkins*, B2.

In der Beschreibungspraxis verfährt man induktiv sowie deduktiv. In der induktiven Verfahrensweise beginnt man bei der Abgrenzung von Kategorien und der Bestimmung von Funktion, Vorkommensbeschränkungen, usw. möglichst realitätsnahe, und erarbeitet eine Systematisierung auf Grund der im Korpus feststellbaren paradigmatischen und syntagmatischen Beziehungen. Man sollte sich aber nicht täuschen, daß die sog. »Entdeckungsprozeduren«, die Weglaß-, Umstell- und Ersatzproben, Objektivität sichern, denn solche Verfahren beruhen letzten Endes auf den Kenntnissen des Darstellers über Bedeutung und Grammatikalität von Sätzen einer älteren Sprache. Auch die einfachste induktiv erarbeitete Systematisierung geht insofern über den untersuchten Korpus hinaus, als sie Muster für die Erzeugung neuer Sätze darstellt. Diese nun als Erzeugungsgrammatik betrachtete Systematisierung kann zu einem gewissen Grade überprüft werden, indem man auf Grund des untersuchten Korpus und der grammatischen und lexikalischen Nachschlagewerke Schlüsse auf den Sprachgebrauch zieht. Bei einem umfangreichen Korpus kann man solche unbelegten, von der Grammatik erzeugten Sätze für möglich (d. h. grammatisch) halten, für die sich analoge Beispiele in dem Belegmaterial nachweisen lassen (zu diesem Analogiekriterium siehe *van de Velde,* B1, »Generative Grammatik«, 51; B1, »Zur deskriptiven Adäquatheit«, 132 f.). Der Schluß, daß gewisse Sätze einer älteren Sprache ungrammatisch waren, beruht aber auf einem *argumentum ex silentio,* weil man nicht weiß, ob gewisse Sätze im Korpus fehlen, weil sie unmöglich (d. h. ungrammatisch) waren, oder weil sie nur zufällig nicht belegt sind. Auch die Sprachstatistik ist, entgegen einer weitverbreiteten Meinung, kein Gradmesser der Grammatikalität: es läßt sich eine Reihe von Beispielen aus modernen Sprachen aufführen, die sehr selten belegt sind aber von muttersprachlichen Sprechern als durchaus grammatisch richtig bewertet werden.

Stark idealisierende, deduktiv-axiomatische Theorien wie die generative Grammatik erlauben wegen ihres hohen Abstraktionsniveaus große Generalisierungen aber sind anhand von den Daten einer älteren Sprachstufe schwer überprüfbar. Das heißt nicht, daß solche Modelle für die Beschreibung älterer Sprachstufen gänzlich unbrauchbar sind; das bedeutet aber, daß der Darsteller stets die Pflicht hat, die in seiner Systematisierung enthaltenen Hypothesen soweit wie möglich an der vorliegenden Datenmenge zu überprüfen und anzugeben, in welchem Grade sie noch undeterminiert sind, d. h. in welchem Grade sie prinzipiell nicht falsifiziert werden können. Ein solches Beschreibungsmodell kann auch einen großen heuristischen Wert haben, indem es den Linguisten zwingt, den Blick auf Phänomene und Zusammenhänge zu werfen, die er vielleicht sonst übersehen hätte.

Ob wir nun eine Beschreibung der Kompetenz eines idealen Sprecher-Hörers zu geben bestrebt sind oder wegen der Indeterminiertheit dieser Kompetenz darauf verzichten und uns eine Beschreibung des Sprachgebrauchs in gewissen Denkmälern zum Ziel setzen, so müssen wir in beiden Fällen nicht nur die Regelmäßigkeiten im Gebrauch beschreiben, sondern auch die Varianten und Verstöße gegen die Norm berücksichtigen; denn in der diachronen Perspektive stellen diese Unregelmäßigkeiten oft Vorboten einer künftigen Systematisierung oder Überbleibsel eines alten Systems dar.

2. Typen des Syntaxwandels

Zu den Aufgaben der historischen Sprachwissenschaft gehört die Feststellung und Klassifizierung von Typen der Sprachveränderungen. Eine Typologie hat einerseits einen großen heuristischen Wert, indem darin schon viele Fragen formuliert sind, die sich der Sprachwissenschaftler bei der Behandlung seines Materials stellen muß; andrerseits besteht bei der Klassifizierung nach einer feststehenden Typologie immer die Gefahr, daß die Sprachfakten in Kategorien der Typologie hineingezwungen und dabei wesentliche Beziehungen übersehen werden. Eine umfassende Typologie des Syntaxwandels gibt es nicht. Die Klassifizierung von *W. Havers* (C) kann wegen der teleologischen Einstellung nicht angenommen werden (dazu *Bloomfield*, B3). *Havers* Buch bleibt dennoch eine Fundgrube für einzelne Beispiele syntaktischer Veränderungen. Typologien nach neueren Syntaxtheorien liegen nur in Ansätzen vor.

2.1. Syntaktische Umdeutung

Die Behandlung des Syntaxwandels innerhalb der zur Zeit noch am besten entwickelten Syntaxtheorie, der generativen Transformationsgrammatik, geht von dem Vergleich zweier Regelsysteme aus, die dem Sprechen und Verstehen von Sätzen unterliegen. Der Wandel wird als Regelveränderung, Regelhinzufügung, Regelverlust, Regelumstellung aufgefaßt (frühe Arbeiten: *Klima*, C; *Closs*, C; zusammengefaßt bei *King*, A1, Kap. 6). Die Angemessenheit gewisser Beschränkungen aus der generativen Phonologie (»bleeding/feeding order«, »opacity«, »targets«) ist erwogen worden: *Kiparsky*, A1; *Hausmann*, C; *Haiman*, F10, u. a.). Schon aus der frühen Arbeit *Klimas* (C, »Relatedness«) ist ersichtlich, daß der Vergleich von Regelsystemen nicht das Wesen eines Wandels zu erfassen vermag. *Klima* untersuchte Entwicklungen im Engl. wie (1) *Whom could she see? → Who could she see?*, (2) *The man whom he spoke with left → The man who he spoke with left* und (3) *It was I → It was me*. Wenn diese Veränderungen als Veränderungen im Regelsystem dargestellt werden, ist keine Richtung zu erkennen. Eine kohärente Entwicklung ist jedoch erkennbar (*Klima* hat sie gesehen, konnte sie aber mit den Mitteln der TG nicht ausdrücken): mit jeder Stufe der Entwicklung wird die Kasusmarkierung *who* (Nom.)/*whom* (Akk.), *I* (Nom.)/*me* (Akk.) immer mehr eine Funktion der Stellung des Pronomens in der Oberflächenstruktur.

Das fundamentale Problem jeder komparativistischen Behandlung des Wandels, die sich auf dem Vergleich von Phonemsystemen, Regelsystemen, usw. aufbaut, ist, daß ein solcher Vergleich nur eine »Pseudobeziehung« im Prozeß des Wandels erhellt (*Andersen*, A1, 767):

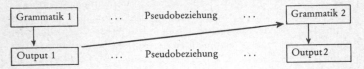

Der Output eines Sprecher-Hörers hängt von seiner internalisierten Grammatik ab. Während der Spracherlernung und im sozialen Handeln steht diese internalisierte Grammatik in keiner *direkten* Beziehung zu den Grammatiken anderer Sprecher-Hörer, sondern die wesentliche Beziehung besteht zwischen der internalisierten Grammatik eines Sprecher-Hörers (Grammatik 2) und dem Output anderer Sprecher-Hörer (Output 1), auf Grund dessen er seine Grammatik formuliert. Die Regeln der Grammatik werden auf Grund gewisser Eigenschaften des Spracherlernungsmechanismus und des Outputs anderer Sprecher-Hörer abduziert (engl. *abduced* – *Andersen*). In *Andersens* Modell des phonologischen Wandels besteht die durch *Abduktion* gewonnene Phonologie aus einem Kernsystem von phonologischen Merkmalen und Regeln und einer Menge von *adaptiven* Regeln, die eine Angleichung der Aussprache eines Sprecher-Hörers an die Normen ermöglicht, in dem Fall, daß die Normen nicht direkt durch dessen Kernsystem erzeugt werden können. Im großen Ganzen stimmt diese Unterscheidung mit *Coserius System* und *Norm* überein (vgl. S. 2). Wegen der Mehrdeutigkeit im Output anderer Sprecher-Hörer können Sprecher-Hörer verschiedene, voneinander abweichende Kernsysteme abduzieren. Eine solche Neuinterpretation des Kernsystems ist eine *abduktive Innovation*. Neuerungen im Output erscheinen aufgrund von *deduktiven* Innovationen, die entweder in der Abschwächung der adaptiven Regeln oder in neuen Implementationsregeln bestehen – durch die Implementationsregeln werden die im Kernsystem abduzierten phonologischen Relationen in den phonetischen Relationen im Output realisiert. Solche deduktiven Neuerungen stellen, mit *Coseriu* zu reden, »vom System zugelassene Möglichkeiten« dar und können von anderen Mitgliedern der Sprachgemeinschaft akzeptiert werden, weil sich die Neuerungen durch die Relationen in den Kernsystemen anderer Sprecher-Hörer deduzieren lassen. Auf diese Weise kann ein abduktiver Wandel im System zu einer Neuerung in der Norm führen. Ob *Andersens* Schema von Kernsystem und adaptiven Regeln der Beschreibung der Syntax angemessen ist, muß noch untersucht werden. Als methodologische Konsequenz ergibt sich, daß auch die Mehrdeutigkeit im Output und die Möglichkeiten zu verschiedenen Abduktionen zu achten ist.

Die Umdeutung (Neuinterpretation, Verschiebung der Gliederung, engl. *reanalysis*) einer alten Konstruktion aufgrund ihrer Oberflächenstruktur erscheint häufig in den historischen Grammatiken als Erklärung einer neuen Konstruktion. Neuerlich wird sie von *Ebert* (C), *Parker* (C), *Naro* (C) dem in der TG herrschenden Vergleich von Regelsystemen entgegengestellt. Im folgenden führe ich einige bekannte Beispiele der Umdeutung der Konstruktion aus älteren Darstellungen auf.

Der englische Infinitiv mit *for . . . to* ist aus der Umdeutung einer Konstruktion hervorgegangen, in der *for* + Nominalphrase zum Hauptsatz gehört: [*It is bet for me*] [*To sleen my self than ben defouled thus*] »It is better for me to slay myself than to be violated thus« (Chaucer, aus *F. Visser,* »An historical syntax of the English language«, Bd. 2, Leiden, 1972, 968). In diesem Satz fungiert *me* als »logisches Subjekt« des Infinitivs und so muß die Gruppe *for me to sleen my self* als nachgestelltes Subjekt aufgefaßt worden sein, denn später konnte *for* + NP zusammen mit dem Inf. vorangestellt werden: neuengl. *For me to slay myself would be better than to be violated thus.* Der nhd. Ausdruck *was für (ein)* ist entstanden durch eine Gliederungsverschiebung aus der älteren Konstruktion *was hast du für Geld,* eigentlich ›was hast du an Stelle des Geldes, als Geld‹. Möglicherweise ist *um zu* + Inf. durch eine syntaktische Umdeutung entstanden: [*er ging aus um Wasser*] [*zu holen*] wurde zu [*er ging aus*] [*um Wasser zu holen*] – dazu unten S. 30. Nach *Paul,* »Dt. Gr.« III, 326 und *Behaghel,* I, 638, beruht der possessive Dativ *dem Vater sein Hut* auf einer Gliederungsverschiebung. Der Dativ war ursprünglich vom Verbum abhängig: ahd. *Do wart demo Balderes volon sin vuoz birenkit* (Merseburger Zauberspruch), *thaz ih druhtine sinan sun souge* (Otfrid, aus *Dal,* 23). Den griech. Akk. + Inf. bei ἐγένετο ›es begab sich‹ übersetzt Wulfila mit got. *warþ* ›wurde‹ + Dativ, während er den griech. Akk. + Inf. bei Verben des Hörens, Sagens, Wollens mit einem got. Akk. + Inf. wiedergibt. Ursprünglich muß der Dativ unmittelbar zu *warþ* oder zu der Verbindung *war* þ + Inf. gehört haben: Luc. 16,22 *war* þ *þan gaswiltan* þ*amma unledin* ἐγένετο δὲ ἀποΘανεῖν τὸν πτωχόν ›dem Armen wurde Sterben‹. Der Dativ steht gewöhnlich hinter dem Inf., wie der Akk. im griech. Akk. + Inf. Es ist also wohl eine Verschiebung des Abhängigkeitsverhältnisses eingetreten, der Dativ wurde zum Inf.

in Beziehung gesetzt (*W. Streitberg*, »Got. Elementarbuch«, Heidelberg, 1920, § 318; *Wackernagel*, C, Bd. I, 265).

Eine syntaktische Umdeutung kann leicht in den Fällen eintreten, wo Synkretismus (lautliche und semantische Identität) der Formen zweier verschiedener Kategorien vorliegt, indem die *indifferente* Form der einen oder anderen der beiden Kategorien zugeordnet wird. So erklärt *I. Dal* (»Untersuchungen«, 194–221) die Entwicklung der Fügung *ich kam gegangen* und des Ersatz- oder Scheininfinitivs (Inf. anstelle eines Part. Prät., *ich habe ihn kommen hören*). Im Mhd. und Mnl. hatten der Inf. und das Part. Prät. in großem Ausmaß identische Form: einige Partizipien hatten den gleichen Stammvokal wie der Inf. und kein *ge*-Präfix, der Inf. hatte seinerseits in zahlreichen Fällen ein präfigiertes *ge*- und fiel dadurch in einigen Klassen der starken Verben mit dem Part. Prät. zusammen. Der Inf. mit präfigiertem *ge*- erschien im Mhd. besonders nach *mac* und *kan*, häufig auch nach den übrigen modalen Hilfsverben und nach Verben wie *lâzen, heizen, helfen, hœren, sehen.* »In den Verbindungen vom Typ *ich mac gesehen: ich hān gesehen* konnte bei der Deutung der Form *gesehen* Unsicherheit entstehen. Von einem Zusammenfall der beiden Kategorien konnte natürlich nicht die Rede sein, denn in den meisten Fällen waren die Formen verschieden, aber es ist ganz deutlich, daß eine starke Assoziation zwischen Infinitiv und Part. Prät. in denjenigen starken Verbalklassen sich geltend gemacht hat, in denen die beiden Formen identischen Wurzelvokal hatten (*Dal*, »Untersuchungen«, 197)«. Nach dem Muster von Konstruktionen mit doppeltem Inf. nach modalen Hilfsverben (z. B. *muget ir nu wunder hœren sagen*, Nibelungenlied) wird die Konstruktion mit ursprünglichem Part. Prät. umgedeutet in *ich hān wunder hœren sagen.* Die Fügung *ich kam gegangen* scheint auch auf einem Zusammenfall des mit *ge*- präfigierten Infinitivs und des Part. Prät. zu beruhen (*Dal*, »Untersuchungen«, 200-209). Die Entwicklung der Futurumschreibung *werden* + Inf. kann auch als Umdeutung der älteren Fügung *werden* + Part. Präs. gedeutet werden (dazu S. 61).

Der lautliche Zusammenfall der mit *ge*- präfigierten finiten Verbformen (Typ: *ee der artzt die wort gesprach*) und des Part. Prät. in Fällen wie *do sy getrunken ein wenig wasser do giengen sij ijlend hinweg* führte nach *C. Biener* (O5) zu einer Umdeutung der im Aussterben begriffenen Konstruktion mit präfigierter finiter Verbform im Nebensatz: Sie wurde als Partizip ohne Hilfsverb aufgefaßt. Eine neue Regel, die das Hilfsverb tilgt, wurde ›abduziert‹ und auch dort angewendet, wo Verbum finitum und Part. Prät. nicht in der Form übereinstimmen. Als Ausgangspunkt der Entwicklung von *ein pfunt*

13

vleisches (Genitiv) zu *ein Pfund Fleisch* nimmt man Indifferenz im Kasus an: die Fälle, wo der Genitiv kein formales Kennzeichen hat, wie bei Femininen und Pluralen ohne Attribut, z. B. *ein Löffel Suppe, ein Paar Schuhe.*

Die Beispiele einer Umdeutung der grammatischen Kategorie sind zahlreich. Aus Nomina sind die Präpositionen *dank, kraft, statt, trotz* u. a. hervorgegangen (z. B. *Trotz sei deinem Befehl* > *trotz deinem Befehl*), aus einem Part. Präs. die Präposition *während (währenddes Krieges* > *während des Krieges),* aus einem Konjunktiv *kommen Sie herein* – vgl. im Singular *warte Sie doch, mein schönes Kind* (Lessing) – wurde ein Imperativ. Aus dem Demonstrativpronomen sind die Konjunktion *daß* (siehe 3.1.3.), das Relativpronomen (3.1.2.) und der Artikel (3.3.1.) entstanden.

Eine Art der Umdeutung ist die sog. *Isolierung (Paul,* A1, Kap. 10): eine Konstruktion geht im allgemeinen unter, bleibt aber in einzelnen Resten erhalten, die wegen ihres häufigen Gebrauchs sich besonders stark eingeprägt haben. Der Ausdruck *es sei denn, daß . . .* ist ein solcher Rest der alten exzipierenden Sätze mit Konjunktiv: *wir sîn vil ungescheiden, ez entuo* (*en* fehlt in einigen Handschriften) *dan der tôt* »es sei denn, daß der Tod uns scheide« Nibelungenlied (aus *Schröbler,* 418). Eine Extremform der Isolierung ist der Übergang einer syntaktischen Fügung in ein einzelnes Wort: dazu *Paul,* A1, Kap. 19; *Lindqvist,* G1. Das nhd. Wort *nur* ist aus einem exzipierenden Satz mhd. *ez newære . . .* durch Lautwandel und Verlust des *ez* entstanden. Die mhd. pronominale Reihe *neizwer, neizwaz, neizwanne,* usw. geht auf *ne weiz ich wer,* usw. zurück (*Schröbler,* 336 f.). Engl. *maybe* hat sich aus *it may be* entwickelt, frz. *peut-être* aus *peut être que . . .,* süddt. *gelt, gel* aus *gelte* ›es möge gelten‹.

Ein wichtiger Typus der Umdeutung ist die Grammatikalisierung (›grammaticalisation‹ *Meillet,* C): ein sprachliches Zeichen verliert seine Bedeutung und bekommt (oder behält) nur eine grammatische Funktion. Wir bringen hier nur ein Beispiel, die Konstruktion *haben + zu +* Inf.; in 3.5. werden weitere Fälle der Grammatikalisierung, die Entwicklung der periphrastischen Tempusformen und des *bekommen*-Passivs, behandelt. Aus den verschiedenen Fügungen mit *haben + zu +* Inf. kann man die Entwicklung rekonstruieren. Ursprünglich war die Konstruktion *haben* + Akkusativobjekt + Infinitivergänzung: *vnd kurtz allen denen die yemans vnder ynen hond zů regierē / als vatter vnd můter ir kind* (Geiler von Kaisersberg, aus *Ebert,* F8, 113) – vgl. nhd. *er hat nichts zu essen.* Die Konstruktion hatte eine Paraphrase *haben+* Akk.obj. *+* Relativsatz: *Aber wo personen sind in geistlichem oder weltlichē stōt / die niemans vnnder jnen hond dem sy sōllen oder můßen gebietten . . .*

(*Ebert*, 114). In der Konstruktion mit Inf. konnte die Modalität, die den Infinitivergänzungen dieses Typus innewohnt (vgl. *sôllen/mûßen* in der Paraphrase), auf die Verbindung *haben* + *zu* + Inf. übertragen werden: *So ist einem / der den andren zû gebieten hat / gnûg / . . .* (114) In diesem Beispiel erscheint *haben* ohne sein Akk.obj.; *den andren* ist Dat.obj. zu *gebieten.* Unmöglich wäre auch die Präpositionalphrase *vnder jnen / vnder im,* denn *haben* hat seine Bedeutung ›besitzen‹ sowie seine Valenz eingebüßt und funktioniert semantisch und syntaktisch wie ein modales Hilfsverb.

2.2. Analogie

In der Syntax, wie in der Phonologie, Morphologie und Semantik, werden sprachliche Formen nach vorgegebenen Mustern gebildet. Allgemeine Regeln für das Eintreten und den Verlauf des analogischen Wandels lassen sich schwer formulieren. *J. Kurylowicz* (A1) hat versucht, generelle Bedingungen anzugeben; ihm ist von *W. Mańczak* (A1) widersprochen worden (dazu *Best,* A1). Ohne explizite Beschränkungen bietet die Analogie eine allzu leichte Erklärung. Aus diesem Grund hat *R. King* (A1) versucht, die Analogie unter gewissen Veränderungen im Regelsystem einer generativen Grammatik unterzubringen.

Als Beispiel einer möglichen Analogiebildung behandle ich kurz die Entwicklung des passivähnlichen präpositionalen Agens in deutschen *lassen*-Konstruktionen. In spätmittelalterlichem Deutsch kamen *lassen*-Konstruktionen der Typen (1) a. und b. vor, und Aktiv- und Passivsätze wie (2) a., b., und c:

(1) a) Der Kommandant ließ die Soldaten die Brücke bauen
    b) Der Kommandant ließ die Brücke bauen
(2) a) Die Soldaten bauen die Brücke
    b) Die Brücke wird gebaut
    c) Die Brücke wird von den Soldaten gebaut.

Bei einer generativen Beschreibung können wir annehmen, daß eine Gruppe von Sprecher-Hörern auf Grund von (1)a. und b. eine Regel formuliert, die ein indefinites Agens in *lassen*-Konstruktionen tilgt. Diese Regel findet nur bei wenigen Verben Anwendung: vgl. nhd. *sie baten, die Tür zu schließen, er hieß ihm helfen, er hörte ein Lied singen,* usw. Der Satz (1)b. *Der Kommandant ließ die Brücke bauen* weist aber eine deutliche Ähnlichkeit mit dem agenslosen Passiv (2)b. auf. Eine andere Gruppe von Sprecher-Hörern könnte diese Generalisierung formuliert haben, indem sie in ihrem syntaktischen Kernsystem (vgl. S. 11) die Anwendung der Passivtransformation im Infinitivkomplement von *lassen* gestattet, die Erscheinung vom präpositionalen Agens (*von/durch* + NP) aber durch adaptive Regeln blockieren. Für die Annahme, daß Passivsätze einen Einfluß auf spätmittelalterliche *lassen*-Konstruktionen ausüben, zeugen Belege von *lassen*-Konstruktionen mit passivem Hilfsverb *werden* bei Autoren, die gar nicht oder sehr selten präpositionelle Agens in diesen Konstruktionen gebrauchen: *wañ wißte der haußuatter zů welcher stund der dieb kem / er wachete fürwar / vnd ließ nit durchgraben werden sein hauß* (Geiler von Kaisersberg, aus *Ebert*, F8, 132). Als Zwischenstufe der Entwicklung nehmen wir einen von danebenstehenden Passivkonstruktionen beeinflußten *abduktiven Wandel* an: die Regeln der Grammatiken einer Gruppe von Sprecher-Hörern haben sich geändert, obwohl der Output beider Gruppen (abgesehen von den okkasionellen Varianten mit *werden*) noch gleich ist. Langsam kommt aber das Kernsystem mit Passivtransformation und präpositionellem Agens zum Durchbruch, indem einige Sprecher-Hörer die generelle Anwendung der Passivtransformation nicht mehr blockieren. Sätze des Typus *der Kommandant ließ die Brücke von den Soldaten bauen* treten im Sprachgebrauch auf und werden von anderen übernommen, weil dieser Typ auf Grund des von mehreren Sprechern abduzierten Kernsystems mit Passivtransformation ableitbar ist.

Eine besondere Art des Einflusses anderer Konstruktionen ist die *Konstruktionsmischung (Kontamination)*: dazu *Paul*, A1, Kap. 8; *Paul*, C). So erklärt man *das gehört mein* als Mischung von *das gehört mir* und *das ist mein, mich freut deines Mutes* (bei Klinger) aus *ich freue mich deines Mutes* und *mich freut dein Mut, das lohnt sich der Mühe* aus *das lohnt sich* und *lohnt der Mühe* (*Paul*, A1, 165). Die Entwicklung des Konjunktivs in der Konstruktion *ich wäre fast/beinahe ertrunken*, wo früher Indikativ stand (mhd. *ich was vil nâch ze nidere tôt* (Walther, aus *Schröbler*, 375) wird aufgefaßt als Vermengung von etwa *ich war nahe beim Ertrinken* und *ich wäre ertrunken, falls nicht etwas eingetreten wäre* (*Dal*, 148; *Behaghel*, II, 290). Zahlreiche Beispiele finden sich bei *Behaghel*, der sie wegen der großen Zahl nicht im Register verzeichnet.

2.3. Entlehnungen

Veränderungen in der Syntax einer Sprache werden auch durch fremdsprachliche Konstruktionen hervorgerufen. Syntaktische Entlehnungen sind oft schwer zu erkennen, weil die fraglichen Konstruktionen häufig »vom System zugelassene Möglichkeiten« *(Coseriu)* darstellen (zur Methode, S. 7, zum Artikel, S. 44 f., zum Perfekt, S. 59. Lehnsyntax kann auch quantitativ sein: eine an sich heimische Konstruktion wird unter dem Einfluß einer fremdsprachlichen Fügung häufiger gebraucht. Das Häufigerwerden hypotaktischer Satzverbindung im Ahd. ist ein solcher Fall.

Entlehnungen werden in verschiedenem Grade assimiliert und sind oft daran zu erkennen, daß sie nur in einer gewissen Art von Texten, in einem Stil, in einem geographischen Raum oder im Sprachgebrauch gewisser sozialer Schichten vorkommen. In der ahd. Übersetzungsliteratur tritt ein Akkusativ mit Infinitiv bei Verben des Sagens und Denkens auf, auch bei den Humanisten und im 16. und 17. Jahrhundert wird die Konstruktion nicht selten belegt. Der mhd. Dichtung ist dagegen ein Akk. mit Inf. bei diesen Verben so gut wie unbekannt. Daraus ließe sich schließen, daß es sich um eine Nachahmung des lateinischen Akk. mit Inf. handelt. Es ist aber möglich, daß das Ahd. diese Konstruktion vom Germ. ererbte, denn das Altisländische, das keinen lat. Einfluß aufweist, kannte einen Akk. mit Inf.. Es bestand im Dt. auch die Möglichkeit einer Umdeutung der Konstruktion mit Akk. und Infinitivergänzung bei *lassen, sehen, hören (er sah ihn kommen,* usw.) und deren Ausbreitung auf Verba dicendi. Auch die Konstruktion mit Adjektivergänzung eines Akkusativobjekts hätte Anlaß zu einer Erweiterung geben können: so findet sich bei Geiler von Kaisersberg neben z. B. *er schetzet sich niemans gleich* ein Akk. mit Inf. *er schetzet sich niemans gleich sein.* Während die Humanisten den Akk. mit Inf. bei mehreren Verben und mit vielen verschiedenen Verben im Inf. gebrauchen, kommt die Konstruktion in Geilers Predigten nicht nur selten vor, sondern auch fast ausschließlich mit dem Inf. *sein* und bei Verben, die in dem Typ *er schetzet sich niemans gleich* erscheinen können (*Ebert,* F8, 127). Die erweiterten Adjektiv- und Partizipialattribute kamen zuerst in der vom Lateinischen stark beeinflußten Kanzleisprache des Frnhd. auf, sind aber auch als Möglichkeiten im System des damaligen Deutsch aufzufassen (vgl. S. 47 f.). Als Beispiel einer Entlehnung in die Schriftsprache sei der absolute Akk. erwähnt, der im 18. Jh. auftritt und auf die französische Konstruktion zurückgeht (dagegen *Pürainen,* G2, 468 f.): *den Kopf gesenkt, die Hände auf dem Rücken, ging er daher* Wieland, aus *Dal,* 14). Beispiele einer geographisch gekennzeichneten Entlehnung sind südwestdt. *es macht gut Wetter, es hat viele Bäume im Wald* ›es gibt viele Bäume im Wald‹, die französischen Ausdrücken nachgebildet sind. Weitere Beispiele von Entlehnungen findet man im Register zu *Behaghel* unter lat. Einfluß, frz. Einfluß, usw.

2.4. Wandel des Sprachtyps

Die Sprachtypologie liefert einen Rahmen, in dem syntaktische Veränderungen beschrieben werden können. Der im Laufe der Geschichte des Dt. zunehmende Gebrauch von Präpositionen neben dem Rückgang der Kasusendungen und die Entwicklung der periphrastischen Tempusformen (*haben, sein* + Part. Prät., *werden* + Inf.) sowie Passivformen (*werden* + Part. Prät.) werden als Zeugnis einer Entwicklungstendenz vom synthetischen (mit dem Schwergewicht auf die Wortflexion) zum analytischen Sprachbau (Wortfügungen mit Geleitwörtern) gewertet. Die relative Stellung von bestimmenden und bestimmten Gliedern bildet die Grundlage verschiedener Wortstellungstypologien; zu dem Versuch *Webers* (H), die Entwicklung von vorangestellten erweiterten Adjektiv- und Partizipialattributen auf Grund einer solchen Typologie zu erklären, siehe S. 48. In den letzten Jahren versucht *W. P. Lehmann* im Rahmen der Wortstellungstypologie *J. Greenbergs* Teile der Syntax des Idg. und Germ. zu rekonstruieren (E1, E2), während andere versuchen, allgemeine Entwicklungswege beim Übergang von einem Typ in einen anderen festzustellen (*Vennemann*, C; *Li und Thompson*. C; Beiträge in »Word order and word order change«, C).

2.5. Psychologische Faktoren

In einigen Arbeiten aus den letzten Jahren wird versucht, gewisse Veränderungen in der Syntax auf Grund der Berührung vom Sprachsystem und psychologischen Faktoren beim Verstehen (*Bever* und *Langendoen*, C; *Kuno*, H) und Produzieren (*Yngve*, C) von Sätzen zu erklären. Solche funktionellen Erklärungsversuche bleiben äußerst problematisch, weil noch sehr wenig über diese psychologischen Faktoren bekannt ist.

3. AUSGEWÄHLTE PROBLEME AUS DER HISTORISCHEN SYNTAX DES DEUTSCHEN

3.1. Die Entwicklung des zusammengesetzten Satzes

3.1.1. Parataxe und Hypotaxe

Das Verhältnis zwischen zwei Aussagen kann sprachlich in verschiedenem Grade zum Ausdruck kommen. Vergleichen wir die folgende Episode aus der Geschichte von Kain und Abel, die der altdt. *Genesis* entstammt, mit der nhd. Wiedergabe durch *F. Tschirch* (D, Bd. I, 171):

> Kain unt sin bruder
> prahten ir oppher.
> Kain was ein accherman,
> eine garb er nam.
> er wolte sie oppheren
> mit eheren iouch mit agenen.
> daz oppher was ungename,
> got newolt iz inphahen.
> Abel was einvaltich unt semfter.
> er hielt siniu lember.
> an nehein ubel er nedahte,
> ein lam z'opphere brahte.

»Kain und sein Bruder brachten ihr Opfer dar. Und zwar nahm Kain als Bauer eine Garbe, um sie mit Ähren und Grannen zu opfern. Doch war dieses Opfer Gott so wenig willkommen, daß er es nicht annahm. Abel dagegen, der, einfach und friedfertig, wie er war, seine Schafe hütete und an nichts Böses dachte, opferte ein Lamm.«

Der ahd. Text bietet ein Beispiel der für die altdt. Dichtung charakteristischen *asyndetischen Parataxe*: die Aussagen sind einfach aneinander gereiht, ohne daß die Beziehungen zwischen Nachbarsätzen sprachlich ausgedrückt werden. Die Unterschiede zwischen den zwei Texten sind größtenteils stilistisch; der Dichter der Genesis hätte die Geschichte in Satzgefügen erzählen können, denn fast alle syntaktischen Möglichkeiten, von denen *Tschirch* Gebrauch macht, standen dem Deutschsprechenden des 11. Jhs. zur Verfügung. Betrachten wir die Geschichte der deutschen Sprache von den frühesten ahd. Texten bis zum Nhd., so können wir jedoch feststellen, daß die Mittel, die dem eindeutigen, genauen Ausdruck dienen, zunehmend entwickelt und gebraucht werden. Dazu gehören der Ausbau des Satzgefüges und Entwicklungen im Konjunktionssystem, die dazu führen, daß die einleitenden Partikeln sowohl den Nebensatzcharakter eines Satzes als auch seine semantische Kategorie deutlicher machen.

Hier können wir uns nicht mit dem theoretischen Problemkreis »Hauptsatz« vs. »Nebensatz/Gliedsatz« und »Parataxe« vs. »Hypotaxe« auseinandersetzen. Der traditionelle Begriff »Nebensatz« ist eher eine Sammelbezeichnung für verschiedene Klassen von Elementarsätzen (siehe S. 33) als eine einheitliche, definierbare Kategorie. Die Unterschiede zwischen Hauptsätzen und Nebensätzen sind in der traditionellen Auffassung logischer Art: logische Unabhängigkeit/Abhängigkeit, Vollständigkeit/Unvollständigkeit. Solche Charakteristika lassen sich aber nicht systematisch mit formalen Merkmalen verbinden. Neuere Arbeiten zu den zusammengesetzten Sätzen des Dt. (z. B. *Hartung*, L1; *Sitta*, L1) befassen sich vor allem mit der Verbindung von Sätzen auf einer abstrakten Ebene der Repräsentation (Tiefenstruktur bzw. Nomostruktur) und den verschiedenen Realisierungen dieser Struktur in der Oberflächenstruktur: eingeleiteten bzw. uneingeleiteten Nebensätzen, Infinitivkonstruktionen, Nominalisierungen. Für die diachrone Betrachtung sind solche Ansätze wichtig, weil die Zusammenhänge unter solchen äquivalenten Konstruktionen nur ausnahmsweise in den traditionellen Darstellungen behandelt werden.

Es läßt sich in vielen Sprachen der Welt auf Grund der Korrelation von formalen Merkmalen eine Opposition zwischen parataktischen und hypotaktischen Konstruktionen feststellen (dazu *Bednarczuk*, L1, 27 ff.). Imperative und Interjektionen kommen nicht in Nebensätzen vor; Nebensätze weisen oft weniger differenzierte Tempora auf oder die Tempusformen im Nebensatz sind vom Tempus des Hauptsatzes abhängig. Viele nichtidg. Sprachen besitzen eine besondere morphologische Kategorie für das Nebensatzprädikat. In einigen Sprachen bestehen Unterschiede in den Akzentverhältnissen im Hauptsatz und Nebensatz. Gewöhnlich weist ein Satzgefüge charakteristische rhythmisch-melodische Signale an der Grenze zwischen über- und untergeordneten Satzteilen auf. In vielen Sprachen gibt es besondere Morpheme, die nur in Nebensätzen oder in Hauptsätzen vorkommen. Gewöhnlich gibt es besondere Beschränkungen in den Stellungsmöglichkeiten des Nebensatzes und der einzelnen Konstituenten im Nebensatz.

Wenden wir uns dem Ahd. zu, so müssen wir feststellen, daß unsere besten nhd. Unterscheidungsmerkmale, die nebensatzspezifischen Einleitungsstücke und die Opposition zwischen Zweitstellung des finiten Verbs im Hauptsatz und Endstellung im eingeleiteten Nebensatz, versagen: fast alle Partikeln, die als Einleitungsstücke mit Endstellung bzw. Späterstellung des Vf. verbunden werden können, begegnen auch am Eingang von Sätzen mit Zweitstellung. Der Gebrauch des Konjunktivs bietet auch kein zuverlässiges Kriterium und von der Interpunktion der Handschriften ist kaum Auskunft über Rhythmus und Intonation zu gewinnen. Eine formale Differenzierung zwischen den traditionellen Kategorien »Adverb« und »Konjunktion« und damit zwischen »Hauptsatz/Nebensatz« und »Parataxe/Hypotaxe« läßt sich daher schwer feststellen (vgl. *Wolfrum*, I, 103 ff.; *Fleischmann*, M, 137 ff.). Auf eine Opposition zwischen Hauptsatz und Nebensatz im Ahd. weist jedoch eine Beobachtung *D. Wunders* (M, 156 f.). Sätze mit topikalisierter

Nominalphrase (vgl. nhd. *Der Hans, der schafft es bestimmt*) kommen bei Otfrid 57mal vor. Im Nhd., wie in mehreren Sprachen, sind solche topikalisierten Konstruktionen in eingeleiteten Nebensätzen ungrammatisch: *ich weiß, daß der Hans, der es bestimmt schafft.* Bei Otfrid gibt es keine Belege einer solchen Konstruktion in den von *Wunder* nach der traditionellen Kategorie der logischen Unterordnung definierten Nebensätzen; nur in den von *wanta* eingeleiteten Sätzen, die eine besondere Zwischenkategorie bilden, kommt dieser Typus vor: vgl. *wanta sin selbes lera thiu was in harto mera* (*Wunder*, 156).

In historischer Zeit kann man in vielen Fällen die Entwicklung hypotaktischer Konstruktionen aus parataktischen verfolgen. Aus dem Umstand, daß man die meisten ahd. unterordnenden Konjunktionen sowie das ahd. Relativpronomen aus Adverbien und Demonstrativpronomen ableiten kann, ist nicht unbedingt zu folgern, daß die Vorstufe des Ahd. keine unterordnenden Konjunktionen und keine Relativsätze kannte; denn man muß mit der Möglichkeit rechnen, daß alte Einleitungsstücke durch neue, aus Adverb und Demonstrativpronomen entstandene ersetzt wurden. Wie die Geschichte der idg. Sprachen lehrt, finden sich auf dem Gebiet der Konjunktionen und Relativpronomen fortwährende Verschiebungen. Es ist aber nicht zu leugnen, daß das Ahd. eine Vorliebe für die Parataxe zeigt. Sie begegnet nicht nur in der Dichtung, die parataktische Konstruktionen aus der altgerm. und der lat. Dichtungstradition schöpft (*Willems*, L1), sondern auch als Übersetzung von lateinischen hypotaktischen Konstruktionen. Auch im Mhd. und Frnhd., wo eine Opposition in der Verbstellung weitgehend durchgeführt ist, hat das Nebeneinander und Ineinander von Parataxe und Hypotaxe der Syntaxforschung viel Kopfzerbrechen bereitet (vgl. die Beispiele bei *Schröbler*, 413; auch *Roloff*, E5, 150-153).

3.1.2. Relativsätze

Es scheint, daß alle Sprachen semantisch differenzierte Relativsätze kennen. In den meisten Sprachen dienen Pronomina oder Partikeln zur Kennzeichnung des Relativsatzes. In den älteren germanischen Sprachen sind die Relativsätze teils asyndetisch, teils durch unflektierte Partikeln, teils durch Partikel + Pronomen und teils durch ein Pronomen allein an das übergeordnete Glied geknüpft.

In durch Demonstrativrelativ (wie nhd. *der*) eingeleiteten Sätzen wird die syntaktisch-semantische Rolle des Bezugswortes im Relativsatz durch die Flexion des Demonstrativrelativs ausgedrückt, im asyndetischen Typus dagegen kommt die Rolle nicht explizit zum

Ausdruck, sondern sie muß aus der syntaktisch-semantischen Leerstelle im untergeordneten Satz erschlossen werden. Asyndetische Relativsätze, wie *in droume sie in zelitun then weg sie faren scoltun* ›. . . den Weg, [den] sie fahren sollten‹ (Otfrid), begegnen im Nordischen, Englischen und Deutschen. Vielleicht sind sie als ältester Typ anzusehen (vgl. *Dal,* 198; *Lockwood,* 242; *Lehmann,* E2, 261). Die entgegengesetzte Auffassung, daß sie ein durch Wegfall eines Relativpronomens erst sekundär entstandenes Gebilde darstellen (vgl. *Behaghel,* III, 743, 766), wird durch die historische Verteilung der Belege unterstützt: die asyndetische Konstruktion ist im ältesten Englischen und Nordischen selten belegt, dagegen in jüngeren Stufen dieser Sprachen häufig. Asyndetische Relativsätze kommen nach der ahd. Zeit nur selten vor.

In den westgerm. Sprachen hat sich in vorhistorischer Zeit ein Relativpronomen aus dem Demonstrativpronomen entwickelt. Mehrere Entstehungswege sind möglich. Der asyndetische Typ ahd. *antwurta demo za imo sprach* ›er antwortete dem, [der] zu ihm sprach‹ (Math. Ev., aus *Dal,* 199), in dem der asyndetische Relativsatz als Ergänzung eines Demonstrativpronomens im Hauptsatz steht, kann den Ausgangspunkt für die Entwicklung des Demonstrativs zu einem Relativpronomen gebildet haben (so *Dal,* 198 f.; *Lockwood,* 243; *Paul,* »Dt. Gr.«, IV, 189–191). In diesem Beispiel ist *demo* eindeutig Dativobjekt zu *antwurta.* Ein Satz, in dem Haupt- und Relativsatz denselben Kasus verlangt, wie ahd. *tho liefen sar . . . thie nan minnotun meist* ›da liefen sogleich . . . die ihn am meisten liebten‹ (Otfrid) bildet den Rahmen für eine Umdeutung der Konstruktion: das ursprünglich zum Hauptsatz gehörende Demonstrativpronomen wird umgedeutet zu einem Einleitungsstück des Relativsatzes, in dessen Rolle es auf Grund seiner deiktischen Kraft fungieren konnte. Man hat auch versucht, die Entstehung des Relativsatzgefüges mit *der,* usw. aus zwei durch hinweisendes Demonstrativ verknüpften Sätzen zu erklären (vgl. *Wunder,* M, 397 ff.; *Behaghel,* III, 766): *ich kenn' den Kerl, der hat mir gestern ein Fenster eingschmisse'.* Man betrachtet die Fälle der sog. Attraktion im ältesten Deutsch, in denen der Kasus des Relativums sich dem Kasus des Bezugswortes anpaßt (wird von diesem »attrahiert«) wie *mit worten, then er thie altun forasagon zalten* ›mit Worten, denen (statt *die*) früher die alten Propheten sprachen‹ als Anzeichen von der Entwicklung des Relativpronomens aus einem Demonstrativpronomen im Hauptsatz. Dagegen muß es sich bei der Attraktion des Relativs nicht unbedingt um eine ererbte Konstruktion handeln, sondern es kann das Ergebnis eines synchronischen Assimilationsprozesses sein; die Attraktion begegnet auch im Modusbereich.

Die altgermanischen Sprachen kennen noch einen Typ mit Relativpartikel und einen Typ mit Demonstrativ + Partikel. Die altgerm. Dialekte weisen verschiedene Partikeln auf. Gotisch *ei* kann in selbständiger Verwendung nur im Anschluß an modale oder temporale Bestimmungen Relativsätze einleiten, sonst erscheint *ei* in relativer Funktion nur in Verbindung mit Demonstrativ- (*saei, soei, þatei,* usw.) oder Personalpronomen (*ikei, þuei,* usw.). Die Partikel *ei* dient auch zur Einleitung von optativischen Inhalts- und Absichtssätzen und erscheint als Bestandteil der Konjunktion *þatei,* die Inhaltssätze einleitet. Die altnordische Partikel *er (es)* fungiert auch als nebensatzeinleitende Konjunktion. Gemeinwestgermanisch ist die Partikel *þe, the.* Im Ahd. ist *the* in selbständiger Verwendung nur spärlich belegt, vgl. *in berge the er mo zeinte* ›im Berge, den er ihm zeigte‹ (Otfrid). Auf Grund von Got. *ei,* an. *er/es,* westgerm. *þe* können wir keine urgerm. Relativpartikel rekonstruieren. Aus der Tatsache, daß die germ. Dialekte verschiedene Partikeln verwenden, schließt *W. P. Lehmann* (E2, 262), daß es sich um eine relativ junge Entwicklung handelt. Die germ. Sprachen haben jedoch in historischer Zeit verschiedene Relativpartikeln entwickelt und alte durch neue ersetzt, so daß eine solche Entwicklung auch in vorhistorischer Zeit durchaus in Frage käme und eine urgerm. Relativpartikel nicht ausgeschlossen werden kann.

In allen germ. Dialekten begegnet der Typus Demonstrativ + Partikel. Die Entstehung dieses Typs ist umstritten (dazu *Johansen,* N, 57 ff.). Wahrscheinlich entstand sie als Umdeutung einer Konstruktion, in der Demonstrativ + Relativsatz als appositionelle Bestimmung einer Nominalphrase steht:

[NP . . . Dem.] [Relativpartikel . . .] > [NP . . .] [Dem. + Relativpart . . .]. Im Ahd. wird die Relativpartikel *the* allein und in Verbindung mit dem Demonstrativ durch *thar, dar* (mhd. *da*) ersetzt, das ursprünglich mit dem Lokaladverb identisch war: *der fogel, der dar feret fone boume ze boume singendo* (Notker, aus *Behaghel,* III, 715). Der Gebrauch von *da* als Stütze in Relativsätzen wurde generalisiert: *da* konnte später zusammen mit dem indefiniten Relativ erscheinen *(wer da)* sowie mit anderen Relativpartikeln (z. B. *so da*). Nach Luther geht die Verwendung von *der da* stark zurück. Heute ist der Typus nur noch in altertümelndem Stil möglich.

Im Deutschen haben sich andere Relativpartikeln entwickelt. *Und* als Relativpartikel hat sich im Mhd. (erster vereinzelter Beleg aus der spätahd. Wiener Genesis) aus der Funktion von *und* als unterordnender Konjunktion von modal-vergleichender Bedeutung entwickelt (*Schröbler,* 432 f.; N, 136 ff.). Eine scharfe Grenze zwischen Konjunktion und Relativ besteht nicht: vgl. *ergetzet si der leide und ir ir habet getân* ›wie ihr sie ihr angetan habt‹ oder ›die ihr‹ (Nibelungenlied, aus *Schröbler*, 422). Einige Handschriften weisen an dieser Stelle *die* statt *und* auf. Der Gebrauch von *und* als Relativum reicht bis ins 17. Jh. hinein (*Behaghel*, III, 741). Eine parallele Entwicklung hat später die vergleichende Konjunktion *so* durchgemacht. Wie bei *und* fassen die einen Schreiber des 13., 14. und 15. Jhs. *so* als vergleichendes *als* auf, die anderen als Relativpronomen (*Schröbler*, N, 146). Die Entstehung der Verwendung als Relativum führt *Behaghel* (III, 279, 729) auf eine Vermengung (Kontamination) der Vergleichskonstruktion ahd. *solih . . . so* mit dem Typ *der* (Demonstrativ) . . . *der* (Relativ), die in gewissen Fällen nebeneinander gebraucht werden können. Relatives *so* erreichte seine größte Verbreitung im 16. und 17. Jh., blieb aber in seiner Verwendung beschränkt: sehr selten vertritt es einen Genitiv oder Dativ und es kommt nicht in der Verbindung mit Präposition vor. Die Konstruktion ging im 18. Jh. stark zurück (Belege bei *Behaghel*, III, 730 ff.). In dt. Mundarten kommen *wo* und *was* als Relativpartikeln vor.

Neben dem Demonstrativrelativ *der,* usw. steht eine zweite Reihe, die sich aus dem Interrogativstamm entwickelt hat. In der ahd. Übersetzungsliteratur findet man dem Lat. nachgebildete Interrogative in relativer Verwendung, die aber nicht weiterentwickelt wurden. Ausgangspunkt der Entwicklung des Relativums *wer, was,* usw. war der westgerm. Typus des unbestimmten und verallgemeinernden Relativums mit korrespondierenden Konjunktionen *so-so:* ahd. *so (h)wer so, so (h)wanne so, so (h)welih so,* usw. Diese werden nicht attributiv verwendet, sondern fungieren als selbständige nominale Glieder des übergeordneten Satzes: vgl. *so wer so izzit fon thesemo brote, lebet in ewidu* (Tatian, aus *Behaghel*, III, 291). Es muß schon ahd. eine gewisse syntaktische Berührung bestanden haben zwischen diesem Typus und dem oben besprochenen Typ mit alleinstehendem *der,* wie *tho liefun sar . . . thie nan minnotun meist* (Otfrid), sowie eine semantische Berührung mit Demonstrativrelativen (vgl. *Wunder,* M, 410 f.): *So wer so in mih giloubit . . .* und *Inti alle . . . thie giloubent in mih* (Otfrid). Das unbestimmte Relativum *so (h)wer so* nähert sich syntaktisch dem bestimmten, indem es sich auf ein Demonstrativum im Hauptsatz beziehen konnte: schon ahd. *So wer, quad, untar iu si, thaz er suntiloser si, ther werfe, . . . , in sia then eriston stein* (Otfrid). Im Mhd. war dies ein häufiger Typus. Im Laufe des Ahd. wurde die Form des unbestimmten Relativs vereinfacht: *so (h)wer so* > *so wer* > *swer.* Im 13. Jh. drangen *s*-lose Formen durch, im 14. Jh. ist das anlautende *s*- geschwunden und diese Reihe fällt somit mit dem Interrogativpronomen lautlich zusammen. Nach pronominalem Bezugswort, das eine nicht individuelle Größe bezeichnet, *das, alles, etwas,* usw., sowie nach substantivierten Adjektiven, trat *was* neben *das* ein und gelangte allmählich zur Herrschaft (dazu *Behaghel,* III, 726 f.). Mundartlich und umgangssprachlich wurde in vielen Gebieten der Gebrauch von *was* weiter generalisiert: *das Ding, was ich gekauft habe; Leute, was viel Geld haben.*

Man hat gefragt, ob das bestimmte Relativpronomen *welcher* ebenfalls aus dem unbestimmten *swelcher* entstanden sei oder ob hier eine Entwicklung des Fragepronomens vorliege (dazu DWb XIV, 1. Abt., 1359). *Welcher* in der Verwendung als bestimmtes Relativ ist zuerst im Mnl. des 13. und 14. Jhs. aufgekommen, d. h. in Zeiten und Gebieten, wo keine lautliche Opposition mehr zwischen interrogativem *welcher* und indefinitem *welcher* (anderswo noch *swelcher*) bestand. Dieser Gebrauch von *welcher* breitet sich vor allem in der Kanzleisprache vom Niederrhein ins Hoch- und Niederdeutsche aus. *Welcher* begegnet als Relativ zuerst in adjektivischer Verwendung, einer im Dt. neuen Konstruktion: *daz ich geschworn hab ... der zunfft ordenung ze halten, welich ordenung under anderem inhalt, daz ...* (1475, Urkundenbuch der Stadt Basel, DWb XIV, 1. Abt., 1361). Dieser Gebrauch ist wohl dem des lat. *qui* nachgebildet, das in Verwendung als Relativ und Interrogativ formengleich war und adjektivisch verwendet wird (so *Behaghel,* I, 376). Das Relativpronomen *der* eignete sich nicht zur neuen Funktion als adjektivisches Relativ, weil es in dieser Stellung mit dem Artikel lautlich zusammenfiel, und *wer* verfügte über zu wenig Flexionsformen. *Welcher* wurde bald als bestimmtes Relativ in substantivischer Funktion verwendet: *werdet ihr finden ein Füllen angebunden, auf welchem nie kein Mensch gesessen ist* (Luther, aus *Dal,* 202). Wie war aber das Fragepronomen – mit Bezug auf etwas Unbekanntes – in die Kategorie des *definiten* Relativs eingegangen? *S. Beyschlag* (N, DWb Artikel *welch*) konnte zeigen, daß sowohl das Fragepronomen *welcher* als auch das Indefinitum *swelcher* die Fähigkeit entwickelten, eine Satzaussage determinativ auf eine festumrissene, individuelle Größe zurückzubeziehen; vgl. *also wirt den der segen, welche hier bichte pflegen* (Daniel, DWb XIV, 1. Abt., 1358). Vor der Nachbildung der lat. Konstruktion lag also eine Bedeutungsentwicklung, eine Annäherung von *welcher* an die Semantik des anaphorischen Relativums, die es erst möglich macht, daß *welcher* mit bestimmtem Bezug gebraucht wird.

3.1.3. *Zur Geschichte der deutschen daß-Sätze*

Die Konjunktion *daß* ist aus dem Nom./Akk. Singular Neutrum des Demonstrativpronomens entstanden. Die verschiedene

Schreibweise, Konjunktion *daß*, Demonstrativ *das* ist eine rein orthographische Konvention, die sich erst im 17. Jh. durchgesetzt hat (DWb, Neubearbeitung, VI, 366). Die Entwicklung ist vorhistorisch; ›daß‹ begegnet schon in den ältesten ahd. Texten als Konjunktion. Ahd. schon ausgebildet ist auch der Typ mit hinweisendem Demonstrativ und Konjunktion: *wanta er* (›denn früher‹) *ni horta man thaz: thaz io fon magadburti man giboran wurti* (Otfrid). Die Entwicklung des Demonstrativs zur Konjunktion beruht auf dieser Fähigkeit des Neutrums, sich auf einen Vorstellungskomplex zu beziehen. Es wird gemeinhin angenommen, daß der hypotaktische Typ *ich weiß, daß er kommt* aus dem parataktischen Typ *ich weiß das: er kommt* (vgl. *joh gizalta in sar thaz: thiu salida untar in was* (Otfrid) – die Versgliederung zeigt, daß *thaz* als Demonstrativ zum ersten Satz gehört) durch eine Verschiebung der Satzgrenze entstanden ist. Aus dem Ahd. allein lassen sich keine Schlüsse auf das Alter der Konjunktion ziehen: ein solches Nebeneinander der Typen kann als systematische Variation lange bestanden haben (sie besteht zum Teil noch heute). Die westgerm. Sprachen zeigen eine weitgehende Übereinstimmung der Verwendung von ae. *þæt*, as. *that*, ahd. *thaz*, so daß wir eher mit einer westgerm. Konjunktion *þat rechnen können als mit einer selbständigen einzelsprachlichen Entwicklung aus gemeinsamen Ansätzen.

Als nebensatzeinleitende Partikel hat ahd. *thaz* einen minimalen semantischen Wert: die Semantik der *thaz*-Sätze ergibt sich aus der Verbindung mit dem übergeordneten Prädikat, aus dem Modus im *thaz*-Satz und aus dem weiteren Kontext. Die traditionelle Grammatik unterscheidet syntaktisch definierte Subjekt-, Objekt- und Attributsätze mit *thaz* sowie semantisch-syntaktisch unterschiedene Kausal-, Final- und Konsekutivsätze. In der älteren Sprache fungieren *daß*-Sätze auch als explikative Bestimmungen einzelner Glieder des übergeordneten Satzes, z. B. *dô lebt ir noch dar inne sehs hundert küener man, daz nie künec deheiner bezzer degene gewan* (nhd. etwa ›wie sie besser nie ein König fand‹, Nibelungenlied) oder des ganzen übergeordneten Satzes, z. B. *ich bin tump daz ich sô grôzen kumber klage* (Reinmar – Beispiele aus *Schröbler*, 449). Solche erläuternden *daß*-Sätze können auch eine kausale oder konsekutive Bedeutungsnuance gewinnen.

Gemäß der Auffassung, daß die Konjunktion *thaz* ursprünglich ein Nom./Akk. des Demonstrativpronomens war, betrachten *Müller/Frings* (M) Subjekt- und Objektsätze mit *thaz* als Urtyp, aus dem sich *thaz* als Einleitung von Substantiv-, Kausal-, Final- und Konsekutivsätzen, in denen *thaz* nicht als ursprünglicher Teil des Hauptsatzes denkbar ist, entwickelt. Die Grenze zwischen Kausal-, Final-

und Konsekutivsätzen und Subjekt- und Objektsätzen ist fließend. Die *daß*-Sätze gewinnen eine kausale Bedeutungsnuance, indem ein im *daß*-Satz ausgedrückter Sachverhalt als Grund des übergeordneten Satzes gedacht werden kann: *Dô truog er ime herzen lieb âne leit, daz er sehen solde der scœnen Uoten kint* (Nibelungenlied, aus *Schröbler*, 449). *Müller/Frings* (M, »Berichte«, 37) erklären den Gebrauch von *thaz*-Sätzen in kausaler Bedeutung als Ausweitung der Verwendung als Ergänzungen der Verben der Gemütsbewegungen (ahd. *freuuen, scamen, sorgen,* usw.) sowie der Verben des Klagens, Lobens und Dankens. Ausgangspunkt der Entwicklung von *thaz* (wohl auch schon seinem germ. Vorgänger **þat*) als Einleitung von Finalsätzen (Absichtssätzen) war nach *Müller/Frings* der Objektsatz bei Verben, bei denen das Objekt zugleich den Zweck der Handlung angibt: Verben des Bittens und Flehens, Strebens, Vorsehens. Heute ist *daß* noch in gewähltem Stil möglich. Als erfolgreiche Konkurrenten traten im Nhd. *auf daß*, das schon mhd. als *ûf daz* begegnet und im 15. – 18. Jh. große Verbreitung erlebte, und *damit* in den finalen Bereich ein. *Damit* war ursprünglich identisch mit dem Dem. *dámit* und erscheint seit dem 12. Jh. in der Verwendung als finale Konjunktion (dazu *Dal*, 204 f.). Germ. **þat* findet sich auch als Einleitung von Folgesätzen in allen germ. Sprachen, die das Wort als Konjunktion kennen. Oft enthält der übergeordnete Satz einen Hinweis auf den Folge- bzw. Modalsatz: z. B. *also, so, sus, solih*. Schon ahd. sind die Stufen der Entwicklung zur Konjunktion *so daß* angelegt. *So* konnte vor seinem Bezugswort im übergeordneten Satz stehen oder an das Satzende treten und von dort in den Nebensatz übertreten. Notker setzt seinen Interpunktionspunkt zwischen *so* und *daz* oder schließt *so* zwischen zwei Punkten ein; sehr selten tritt bei ihm die Satzpause vor *so daz* (*Müller/Frings*, »Berichte«, 52). *So daß* wird erst nhd. üblich.

Mit dem Aufkommen von *auf daß* und *damit* in Absichtssätzen und *so daß* in Folgesätzen und mit dem Zurücktreten von *daß* in Kausalsätzen zugunsten von *weil* und anderen Konkurrenten erreicht das Nhd. eine größere semantische Präzisierung im Bereich der Nebensätze. Diese Entwicklung wird von *Koenraads* (D, 99) als Ergebnis des Strebens nach optimaler Deutlichkeit aufgefaßt. Obwohl man sich leicht vorstellen kann, daß dieses neue System dem weniger präzisen älteren überlegen war und daher bevorzugt wurde, müssen wir solche vagen teleologischen Erklärungen ablehnen, weil sie als Hypothesen empirisch nicht überprüfbar sind.

Schon im ältesten Ahd. konnte das Objekt einer Präposition auf einen *thaz*-Satz hinweisen. Mit dem Absterben des Instrumentals, der häufig neben Präpositionen in der Konstruktion vorkommt, treten Adverbialbezeichnungen für das Pronomen ein (*herazuo, darana, darazuo,* usw.). In Verbindungen wie *unzi daz, daz* . . . konnten die beiden *daz* formal zusammenfallen, woraus durch Übertritt der Präposition in den Nebensatz die komplexen Konjunktionen vom Typus Präposition + *daz* (*unzi daz,* usw.) entstanden sind. Dieser Typ ist schon ahd. vorgebildet, tritt aber in stärkerem Umfang erst im 13. – 15. Jh. auf. Neben Präpositionen treten zu verschiedenen Zeiten andere Satzteile in die Verbindung mit *daß: kaum daß, nur daß, ursach daß, unerachtet daß,* usw. Eine Übersicht über komplexe Konjunktionen mit *daß* bringt *Fleischmann,* M, 170–184.

3.1.4. Infinitivsätze

Die Infinitive in den idg. Sprachen gehen auf Verbalnomina zurück. In den idg. Einzelsprachen werden verschiedene Kasusformen von vielen verschiedenen Ableitungstypen der Verbalabstrakta verwendet. Der mit dem idg. Substantivsuffix -*no*- gebildete germ. Infinitiv geht wohl auf den Akk. Neutrum eines Verbalnomens zurück, dessen älteste Verwendung wahrscheinlich Akk. des Ziels war; der Inf. nach Verben der Bewegung ist eine altgerm. Konstruktion, die auch Parallelen in anderen idg. Sprachen hat (z. B. dem Griech. und Lat.). Das Germ. besaß nur eine Infinitivform, die vom Präsensstamm abgeleitet war, aber Futur und Vergangenheit ausdrükken konnte. Später entwickelten sich Zeitformen durch Umschreibungen. Dem Ursprung als Verbalnomen entsprechend wies der Infinitiv ursprünglich auch keine formale Unterscheidung zwischen Aktiv und Passiv auf. In den germ. Sprachen entwickelten sich periphrastische passive Infinitive neben den periphrastischen finiten Formen. Neben dem einfachen Inf. kennen die germ. Sprachen Infinitivformen mit Präpositionen: got. *du,* an. *at,* westgerm. **tō, te.* Das Westgermanische besaß eine mit *j*- Suffix erweiterte Form, die ungewissen Ursprungs ist. Diese Form fungierte als Genitiv und Dativ des einfachen Inf. und erscheint im Dativ mit der westgerm. Präposition **tō, te.* Im Spätmhd./Frnhd. fiel die Form auf -*enne,* -*end(e)* mit der alten Infinitivform zusammen und lebt als der nhd. Inf. mit *zu* weiter. Allgemeines über die Verwendung der Infinitivformen bringen *Dal,* 100–113 und *Lockwood,* 147–159; zahlreiche Belege bietet *Behaghel,* II, 303–371.

Die Infinitivkonstruktionen teile ich mit *Behaghel* in zwei Haupttypen. Im ersten Typ, den ich »Infinitivsatz« nenne, können in der Infinitivgruppe alle Konstituenten eines Satzes außer einem Subjekt vorhanden sein: *wir haben vor, im Sommer wieder nach Norwegen zu fahren; es ist bedauerlich, das übersehen zu haben.* Im zweiten Typ, den ich »Infinitivergänzung« nenne (*Behaghel,* II, 331 »exegetischer Infinitiv«), fehlt neben dem Subjekt auch das Akkusativobjekt eines transitiven Verbs: *das Buch ist schwer zu lesen* (vgl. *es ist schwer, das Buch zu lesen*), *er gab mir ein Buch zu lesen* (vgl. *er gab mir ein Buch, das ich lesen sollte*). In den altgerm. Sprachen erscheinen Infinitivsätze als Subjekt und Objekt von Prädikaten, als Ergänzung von Nomina und als Ausdruck des Zwecks. Infinitivsätze konkurrieren seit ältester Zeit mit *daß*-Sätzen.

Die Infinitivergänzungen sind im Laufe der Geschichte des Dt. stark zurückgegangen, in vielen Fällen räumte die Infinitivergänzung dem Infinitivsatz den Platz. Die Berührungspunkte der zwei konkurrierenden Konstruktionen, Infinitivsatz und Infinitivergänzung, können wir anhand von Beispielen aus dem Frnhd. betrachten. Infinitivergänzungen treten auf sowohl bei Verben, die konkrete Objekte neben sich haben und keinen *daß*-Satz oder Infinitivsatz erlauben (z. B. *als nûn der erst tod was in dem leiden / da fûrten sy hyn den andren zû verspotten*, Geiler von Kaisersberg, aus *Ebert*, F8, 179) als auch bei Verben und Adjektiven, die mit *daß*-Satz oder Infinitivsatz erscheinen, z. B. *vngeschafne wort / der* (›deren‹) *sich ain mensch solt beschamen zu reden* (178). Im älteren Dt. können Objekte und sonstige Konstituenten eines Infinitivsatzes an der Spitze des Hauptsatzes oder an anderen Stellen vor dem finiten Verb stehen: *dem begert sye zû gefallen* (Geiler, *Ebert*, F8, 96), *Also daß ein mensch gott vnd der welt begert zû gefallen* (91). Vergleicht man diese Sätze mit den Beispielen der Infinitivergänzungen, so sieht man, daß bei Verben, die beide Konstruktionen zulassen (z. B. *sich beschamen*), nur auf Grund der Kasusrektion und nicht mehr auf Grund der Wortstellung zwischen den beiden Konstruktionstypen unterschieden werden kann. Wenn Infinitiv und finites Verb dieselben Kasus regieren, entsteht eine syntaktische Indifferenzform (vgl. S. 13), die den Rahmen für eine Umdeutung der Konstruktion bildet. Auch wenn eine Kasusopposition besteht, fallen oft die Bedeutungen der beiden Typen zusammen: vgl. *vngeschafne wort / der sich ain mensch solt beschamen zu reden* und *etwas . . . das er sich schemt zûsagen* (122). Eindeutige Beispiele von Infinitivergänzungen bei Verben und Adjektiven, die *daß*-Sätze und Infinitivsätze zu sich nehmen, sind schon frnhd. nicht häufig.

Die konkurrierenden Infinitivsätze scheinen in Objektstellung gesiegt zu haben. Infinitivergänzungen, bei denen das Subjekt des Hauptsatzverbs das fehlende Akk.obj. des Inf. vertritt, waren auch im älteren Dt. häufiger und variierter als heute. Solche Infinitivergänzungen treten heute nur noch auf als Ergänzungen von Prädikatadjektiven, *Inge ist hübsch anzusehen*, und in der Konstruktion *sein* + *zu* + Inf., *die Aufsätze sind am Montag einzureichen*. Früher konnten Infinitivergänzungen bei attributiven Adjektiven (jedoch nicht häufig), bei Nomina (selten) und bei Verben (häufig) auftreten: *das ist ein hertte speiß zů essen on den senff; das selb ist wol ain iamer zů gedenckñ; vnfletigkeiten die sich nit zimen zů neñen* (Geiler, aus *Ebert*, F8, 176 f.). Die große Mehrzahl der Verben, Adjektive und Nomina, die in dieser Konstruktion mit Infinitivergänzungen auftreten, können auch mit einem Infinitivsatz als Subjekt erscheinen: vgl. mit Infinitivergänzung *ding . . . / die jm nit zů stond zů wissen*, mit Infinitivsatz *Es stat mir nit zů / das zů erfaren* (75,24). Auch im Subjektbereich hat der Infinitivsatz den Sieg errungen. Einzelheiten der Entwicklung sind aber noch nicht ermittelt worden.

Infinitivergänzungen begegnen seit dem Mittelalter auch nach einem Präpositionalobjekt: *die dreizehend predig saget von hohen künsten zelernen; das er gelitten hat für alles menschliches geschlecht zů erlösen* (Geiler, aus *Ebert*, F8, 167). Diese Konstruktion wird gewöhnlich als Ausgangspunkt der Infinitivkonstruktion mit *um . . . zu* betrachtet (*Göransson*, F8, 23 ff.; *Paul*, »Dt. Gr.«, IV, 121; *Behaghel*, II, 225; *Dal*, 111; *Lockwood*, 154). Die ältesten deutschen Beispiele (vereinzelt schon in Urkunden des 13. Jhs.), in denen ein Finalverhältnis durch *um . . . zu* ausgedrückt wird, enthalten ein Akk.obj. zwischen *um* und *zu* + Inf. In einem Satz wie *er ging aus, um Wasser zu holen* wurde ursprünglich das Substantiv *Wasser* von der Präposition *um* regiert, die als Bezeichnung des Zwecks fungierte; *zu* + Inf. tritt als nähere Bestimmung an das Nomen *Wasser*, ›nämlich, zu holen‹. *Wasser* wurde als logisches Objekt von *holen* verstanden. Es erfolgte dann eine Umdeutung der Konstruktion: *Wasser* wurde als Objekt des Inf. aufgefaßt, *um* als einleitendes Morphem, das zusammen mit *zu* eine syntaktisch-semantische Einheit bildet. Nach der Umdeutung der Konstruktion konnte *um zu* auch ohne Akk.obj. auftreten: *Esopus gieng umb ze suchen* (Steinhöwel, aus *Paul*, »Dt. Gr.«, IV, 120 f.). Die Umdeutung von [*er ging aus um Wasser*] [*zu holen*] in [*er ging aus*] [*um Wasser zu holen*] stellt eine strukturelle Parallele dar zu dem Übergang von Konstruktionen mit Infinitivergänzung wie *er schämte sich des zu tun* in Infinitivsätze wie *er schämte sich, das zu tun*.

Wilmanns (D, III, 130 f.) erwägt eine zweite Möglichkeit: *zu* + Inf. nebst seinen näheren Bestimmungen wird als Einheit aufgefaßt und fungiert als Objekt der Präposition. Viele Belege lassen sich tatsächlich so interpretieren, auch wenn Präposition und Inf. verschiedene Kasus regieren:

Es sein etlich, die nemmen off so vnbillich vil *von* einem geringen zedel *zu schreiben*, das er mit dem gelt wol solchen Brieff drey verdecken möcht.

Wenn wir das letzte Beispiel aus dem Geiler betrachten, sehen wir, daß die Worte: »die nemmen . . . *von* einem geringen zedel« keinen richtigen Sinn geben. Gemeint ist vielmehr: »die nemmen . . . *von . . . zu schreiben*,« denn die Handlung, die Arbeit muss hier betont werden. (*Göransson*, F8, 44; Hervorhebung von G.)

Mit dieser Tendenz zur semantischen Interpretation der ursprünglichen Konstruktion [Präposition + Nomen] + [*zu* + Inf.] als [Präposition] + [Nomen + *zu* + Inf.] haben wir eine mögliche Zwischenstufe der Entwicklung vor uns. Belege dieser zwei Stufen finden sich bei Autoren (z. B. Geiler, Pauli, Luther), die die dritte Stufe der Entwicklung *um* + *zu* + Inf. (+ Objekt) noch nicht aufweisen.

Fremdsprachlicher Einfluß ist auch erwogen worden. Die Konstruktion Präposition + Nomen + *zu* + Inf. findet *Göransson* (F8) zuerst in den dt. und ndl. Urkunden, die stark vom Latein abhängen; aus Parallelstellen schließt er, daß die Konstruktion lateinischen Gerundivkonstruktionen nachgebildet ist (33): . . . *quod omnes ville exteriores quasi venerunt ad civitatem* pro *necessariis emendis, vendendis –* . . . *also daz alle dorfer und landlüte furent in die stat umbe ire notdurft zů koufende und zů verkoufende* (Closeners Chronik, *Göransson*, 32, Hervorhebung von G.). Die Gliederungsverschiebung war eine deutsche Innovierung. Möglich ist auch der Einfluß des frz. *pour / pour a* + Inf. Die Konstruktion *für zu* + Inf., die besonders in den dt. Mundarten westlich des Rheins vorkommt, können wir mit großer Wahrscheinlichkeit dem Einfluß des Frz. zuschreiben. Für *um zu* ist der folgende Entstehungsweg denkbar: das *om(me) te* der mnl. Geschäftssprache wird dem Frz. *pour (a)* nachgebildet und wirkt dann auf die niederdt. Kanzleisprache, besonders die der Hansa, ein (so *Reed*, F8, 103). Von der niederdt. Kanzleisprache drang die Konstruktion dann in die hochdt. Rechts- und Geschäftssprache und von dort aus in sonstige Literaturgattungen ein.

Wenn wir die Entwicklung von *um* . . . *zu* als Umdeutung der älteren Konstruktion *um* + Akk.obj. + Infinitivergänzung betrachten, so müssen wir uns fragen, warum die Umdeutung nur bei *um* stattfand. Bei den Präpositionen, die den Dativ regieren (z. B. *von, mit, zu*) und denen, die Dat. und Akk. bei sich haben (z. B. *auf, an, vor/für*) hat die Kasusmarkierung die Umdeutung sicherlich gehindert, denn durch eine Verschiebung der Gliederung hätte z. B. bei *von* die Kette *von* + Akk.obj. + *zu* + Inf. entstehen müssen (vgl. *Göransson*, 44). Im Niederländischen dagegen gerieten die Kasusendungen schon früh in Verfall, womit die Entwicklung von *met te*, *van te, na te* wohl zusammenhängt. Bei den Präpositionen mit Akk. kommt keine Kasusdiskrepanz zustande. *Ohne* kam in der Konstr. *ohne zu* vor. Außer einem isolierten Beleg aus dem Jahre 1322 ist sie aber erst im 16. Jh. (und dann nur spärlich) belegt. Sie wurde erst im 18. Jh. häufig. Wir wissen nicht, ob es sich um eine frühe Umdeutung der Konstruktion mit Infinitivergänzung handelt, oder um eine später erfolgte Nachbildung der *um zu*-Konstruktion. *(An)statt zu* ist eine späte Nachbildung von *um zu;* der erste Beleg bei *Göransson* stammt aus dem Jahr 1687. Während *um zu* + Inf. mit Einleitungsmorphem eine in morphologisch-syntaktischer Hinsicht eigenartige Infinitivkonstruktion darstellt, war sie zur Zeit ihres Auftretens keine semantisch-syntaktisch neue Kategorie von Infinitivkonstruktion, denn man konnte seit Jahrhunderten *er ging aus, Wasser zu holen* mit finalem Infinitivsatz sagen. Vielleicht erfuhr die Konstr. *durch* + Akk.obj. + *zu* + Inf. keine Weiterentwicklung, weil sie ihre finale Bedeutung ›um . . . willen‹ verloren hat und sich semantisch nicht mehr zur Umdeutung in eine Konstruktion mit finaler Bedeutung eignete.

Aus funktionellen Gesichtspunkten dient das Einleitungsmorphem zur Unterscheidung des finalen Infinitivsatzes von den als Subjekt und Objekt fungierenden Infinitivsätzen und stellt damit eine Parallelentwicklung zur Herausbildung der differenzierenden Konjunktionen *auf daß, damit* (final) und *so daß* (konsekutiv) neben *daß* (in Inhaltssätzen) dar. In beiden Infinitivsätzen und Nebensätzen wird dann die semantische Kategorie schon am Anfang des Inf.- bzw. Nebensatzes markiert. Später hat *um zu* auch zur Bezeichnung eines konsekutiven Verhältnisses und eines zeitlichen Nacheinanders gedient (Belege seit dem 18. Jh.).

3.1.5. Zusammengesetzter Satz und Elementarsatz

Wir haben gesehen, wie in der Entwicklung vom Ahd. zum Nhd. die *daß*-Sätze und Infinitivsätze syntaktisch und semantisch deutlicher geworden sind: nebensatzeinleitendes *daß* wird in Adverbialsätzen durch *damit, so daß, auf daß, weil* ersetzt, der einfache Inf. wird immer mehr auf Auxiliarkonstruktionen beschränkt, *zu* + Inf. dringt in die den Inhaltssätzen äquivalenten Infinitivkonstruktionen ein, *um zu* + Inf. bildet sich als Ausdruck des finalen und konsekutiven Verhältnisses aus. Neben den Konjunktionen dient auch die Wortstellung immer mehr zur Bezeichnung der Opposition von Haupt- und Nebensatz.

Im Gegensatz zum älteren Dt. zeigt die heutige dt. Schriftsprache eine deutlichere Abgrenzung der Aussagen im Satzgefüge. Beispiele einer schwächeren Verkettung von Haupt- und Nebensatz wie *wann er Claudas wol erkante, das er ein zier ritter was* ›wann er wol erkante, das Claudas ein zier ritter was‹, aus dem Prosalancelot, Handschrift ca. 1430 (*Schieb,* M, »Zum System der Nebensätze«, 183) sind in älteren Texten nicht selten. Auch die sog. *Verschränkung* oder *Verschlingung* (ein Satzglied, das logisch zum untergeordneten Satz gehört, steht im Hauptsatz), die in allen Stufen der dt. Sprache belegt ist, scheint im 19. und 20. Jh. zurückgegangen zu sein: vgl. aus Lessing (*Paul,* »Dt. Gr.«, IV, 319–322): *auf diese veralteten Wörter haben wir geglaubt, daß wir unser Augenmerk vornehmlich richten müßten; wo wollen Sie, daß ich anfangen soll; Anforderungen . . ., denen ich nicht weiß, wie ich begegnen soll.* Die vorangestellte Konstituente kann durch ein anaphorisches Pronomen im untergeordneten Satz nochmals verkörpert werden: *als das, was ich wünschte, daß man es immer weggelassen hätte* (Lessing, aus *Paul,* 323). In der Schriftsprache wurde die Konstruktion mit Relativpronomen durch eine Wendung mit *von* ersetzt: vgl. *So bleibt nur eine Erklärung, von der ich allerdings gerne zugebe, daß sie ziemlich verwegen erscheinen muß* (Fleischmann, M, 151), * . . . eine Erklärung, die ich allerdings gerne zugebe, daß (sie) ziemlich verwegen erscheinen muß.* Wahrscheinlich ging die Konstruktion mit *von* aus von Wendungen wie *man sagt von ihm, daß er trinkt,* dehnte sich jedoch weit über die Grenzen des Gebrauchs von *von* in einfachen Sätzen aus (ältere Literatur bei *Behaghel,* III, 547).

Der Ausbau des Satzgefüges erstreckt sich über das ganze mittelalterliche Deutsch. Auch vor der Zeit der Humanisten gehörte die stark erweiterte Hypotaxe zu den Ausdrucksmitteln der dt. Schreibsprachen (*Große,* L1; *Admoni,* E5, »Der Umfang«, 166 f.). Der Prozentsatz der hypotaktischen Satzkonstruktionen in Texten hängt von der Stilgattung ab. Nach *Admonis* Zählungen schwankt der Gebrauch der Hypotaxe im 14. und 15. Jh. zwischen einem verhältnismäßig niederen Prozentsatz im *Ackermann aus Böhmen* und einem sehr hohen Prozentsatz in den Urkunden. Im 16. Jh. ist eine Tendenz zur Vereinfachung der Struktur des Satzgefüges erkennbar, obwohl einige Gattungen (Traktate, Reisebeschreibungen, Kunstprosa) noch eine starke Verwendung der Hypotaxe aufweisen. Im 17. Jh. läßt sich eine große Zunahme sowohl der Hypotaxe als auch der Länge des Elementarsatzes feststellen. (Unter dem *Elementarsatz* versteht *Admoni* den selbständigen einfachen Satz und alle Satzarten, die mit dem einfachen Satz wesentliche strukturelle Züge gemeinsam haben; der Elementarsatz kann also Glied eines zusammengesetzten Satzes sein, ein Hauptsatz, ein Nebensatz oder ein Glied der Satzreihe – *Admoni,* E6, 24). Die komplizierten barocken

Perioden werden im 18. Jh. etwas vereinfacht und es entsteht »ein sehr entwickeltes und reichhaltiges, nur von gewissen ›Übertreibungen‹ der vorhergehenden Epoche befreites System der Hypotaxe (*Admoni*, E5, »Der Umfang«, 169)«. In einigen Gattungen der Literatursprache des späten Mittelalters (13.-15. Jh.) ist ein Anwachsen des Satzumfangs festzustellen. Dies geschah einerseits durch den Ausbau des Satzgefüges, andrerseits durch die Erweiterung der »Aufnahmefähigkeit« (*Admoni*) des Elementarsatzes. Zum Ausbau des Elementarsatzes gehörte vor allem die Ausweitung der Möglichkeiten, Aussagen durch nominale Konstruktionen auszudrücken: durch substantivierte Infinitive, durch von Verben und Adjektiven abgeleitete Nomina (Nominalisierungen), durch erweiterte Partizipial- und Adjektivattribute, durch Nomen mit präpositionalen Ergänzungen (dazu 3.3.).

3.2. Verbstellung

In diesem Teil befassen wir uns vor allem mit der Entwicklung der Zweitstellung des Verbum finitum im Hauptsatz in den germ. Sprachen und mit der Endstellung des Vf. im Deutschen. Seit *Delbrück* (E1, Teil III, 56–86) wird meist angenommen, daß im Idg. die Endstellung des Vf. die normale Stellung gewesen sei. Für die Endstellung spricht das Zeugnis des Hethitischen, Altindischen und Lateinischen sowie Beispiele archaischer Sprache im Altirischen, die sonst die Anfangsstellung als die gewöhnliche Stellung aufweist (*Watkins*, O2). Dem Verb konnten schwere, nicht notwendige Ergänzungen nachfolgen: vgl. die altlat. Inschrift (Fibel von Praeneste) *Manios med fhefhaked Numasioi* ›M. machte mich für N.‹, in der der Dativ *Numasioi* eine fakultative Ergänzung der Kernaussage mit *facere* war. Im Hethitischen, Altindischen und Italischen u. a. findet sich eine Opposition zwischen der merkmallosen (nichtmarkierten) Endstellung des Vf. und merkmalhafter (markierter) Anfangsstellung, die in Imperativen, Interrogativen und in emphatischen Aussagen vorkommt (das markierte Glied einer Opposition gibt ein semantisch-grammatisches Merkmal an, das dem nichtmarkierten Glied fehlt). Nach einem von *Wackernagel* (O2) entdeckten rhythmischen Gesetz stehen gewisse tiefbetonte Partikeln und Pronomina an der zweiten Stelle im Satz. Auch gewisse unemphatische Verben wie griech. εἰμί ›sein‹ und φημί ›sagen‹ konnten sich enklitisch an das erste Satzglied stellen. Da das Verb im Altindischen im Nebensatz betont, im Hauptsatz dagegen unbetont war, ergibt sich die Möglichkeit, daß schon im Idg. die kurzen Verbformen sich enklitisch an das erste Wort im Hauptsatz anschlossen, während die längeren die Endstellung beibehielten (*Wackernagel*, 428). Diese auf dem Rhythmus beruhende Zweitstellung der kurzen Verbformen bietet nun den Ansatz zur Generalisierung der Zweitstellung, wie in den germ. Dialekten.

Die altgermanischen Sprachen kennen, besonders in den Prosawerken, Zweitstellung im aussagenden Hauptsatz und eine Tendenz zur Später- bzw. Endstellung in Relativsätzen und eingeleiteten Nebensätzen. Satzfragen und Imperativ weisen gewöhnlich Anfangsstellung auf. Fürs Idg. haben wir soeben eine Opposition zwischen markierter Anfangsstellung des Vf. und nichtmarkierter Endstellung sowie die nichtmarkierte Zweitstellung für kurze, unbetonte Verben angenommen. Wie ist nun die germanische Wortstellung zu rekonstruieren?

R. Werth (O2) möchte auf Grund des rein statistischen Überwiegens von Zweitstellung in den germ. Einzelsprachen die Zweitstellung im germ. Aussagehauptsatz rekonstruieren. Das ist aber methodisch unzulänglich: die statistisch überwiegende Konstruktion in einer Sprachstufe ist nicht unbedingt dem normalen Typus der Vorstufe gleichzusetzen. Archaische Züge und mögliche Relikterscheinungen, die auf einen älteren Zustand hindeuten, müssen berücksichtigt werden. Die Endstellung bzw. Späterstellung kommt oft in poetischen Denkmälern im Hauptsatz vor, wobei zu fragen wäre, ob es sich um ein Relikt des germanischen Systems oder um die Fortsetzung eines noch älteren poetischen Typus handelt.

Die eingehendste Untersuchung der Verbstellung in den germ. Dialekten bleibt bis heute noch *J. Fourquets* »L'ordre des elements de la phrase en Germanique ancien« (O2). Diese Arbeit wurde aber nicht komparativistisch angelegt; es lassen sich daher nur durch Extrapolation Schlüsse auf das Germanische ziehen. Das System des Beowulf nimmt *Fourquet* als gemeinsamen Zustand für das Ae., An., As. und Ahd. an, weil gewisse Relikte des Beowulf-Systems in diesen Dialekten erscheinen. Im Beowulf läßt sich eine Opposition zwischen markierter Anfangsstellung und nichtmarkierten späteren Stellungen feststellen. Anfangsstellung kommt nicht nur in Satzfragen und Befehlen vor, sondern auch in Aussagesätzen, wenn der Kontext eine Hervorhebung des Inhalts fordert. Bei späterer Stellung des Verbs läßt sich ein Satzkern mit festem Bau herausschälen: pronominale Glieder – nominale Glieder – Verbum finitum –, vgl. *he him a þas swor* ›er ihnen Eide schwur‹. Vor und nach diesem zentralen Teil befinden sich periphere Satzglieder wie Ort- und Zeitangaben. Die zweite Stufe der Entwicklung, die in der angelsächsischen Chronik bis 891 und im Heliand vorliegt, stellt den Zerfall des alten Stellungssystems und das Aufkommen eines neuen Systems II dar. Die nichtpronominalen Glieder werden häufiger dem Verb nachgestellt: *he him a þas swor* < *he him swor a þas*. Indem nominale Glieder des Satzkerns jetzt nach dem Verbum stehen können, verliert die Stelle nach dem Verb seinen besonderen stilistischen Wert. Nachstellung der nominalen Glieder erscheint zuerst in Sätzen, in denen ein schweres nominales Glied an der Spitze steht. Die Stellung des Vf. hinter den nominalen Gliedern erhält sich in konjunktionalen und relativen Nebensätzen und in Folgesätzen. Eine Nebenform des markierten Typus mit Anfangsstellung war der expressive Satz mit *þa/þær* + Verb am Satzanfang, der sog. »gedeckten« Anfangsstellung: ae. *þa/ferdon* (Vf.) *hie mid Wesseaxna fierde innan Mierce* (*Fourquet*, O1, 319). Obwohl das Verb hier nun in Zweitstellung steht, unterscheidet sich dieser Typus mit *þa/þær* von Sätzen mit nominaler Spitze wie *þy ilcan geare / he for* (Vf.) *to Rome*. Im Satz mit nominaler Spitze steht das pronominale Subjekt noch vor dem Verb, während es im ersten Satz die Stelle hinter dem Verb einnimmt. In dieser Zwischenstufe hat man nun drei Typen mit Zweitstellung des finiten Verbs: (1) merkmallose Sätze, in denen pronominale Objekte oder Pronominaladverbien fehlen und dem Verb nur ein nominales oder pronominales Subjekt vorausgeht, *he for to Rome;* (2) den markierten Typus mit *þa/þær* + Verb: *þa for he to Rome;* und (3) merkmallose Sätze mit nachgestelltem Nomen *þy ilcan geare for se cyning to Rome*. Die Generalisierung der Zweitstellung findet jedoch noch nicht statt, denn pronominale Glieder blieben noch zwischen dem ersten Satzglied und dem Verbum eingeschoben: *þy ilcan geare / he for / to Rome; se papa hine heht / Petrus*, wörtlich ›der Papst ihn hieß P.‹. Die Typen mit Zweitstellung bilden aber Muster für die Generalisierung der Zweitstellung im aussagenden Hauptsatz.

Im System II (Ags. Chronik 891–925, an. Edda, ahd. Isidor) liegt die Generalisierung der Zweitstellung vor; auch die Pronomina können dem Verb nachgestellt werden. Im ahd. Isidor begegnen aber noch Überbleibsel des alten Systems: *ih inan infahu* gegenüber *suscipiam eum* der Vorlage. Auch in Folgesätzen tritt die Zweitstellung ein, konjuntionelle Nebensätze und Relativsätze werden aber durch eine spätere Stellung des Vf. gekennzeichnet: vgl. Isidor *dher in sion ward chiboran* gegenüber *qui nascitur in Sion* der Vorlage.

Die ältesten germ. Quellen, die Runeninschriften und das Gotische, liefern wenig aufschlußreiches Material zum Problem der Verbstellung im Germanischen. Die Verbstellung in den Runeninschriften schwankt; die Endstellung überwiegt in den ältesten Inschriften (*Smith*, O2, 157; *E. Antonsen,* »A concise grammar of the older Runic inscriptions«, Tübingen: Niemeyer 1975, 24). Die gotische Bibelübersetzung behält die Wortstellung der griechischen Vorlage ziemlich genau bei, was widerholt als Zeugnis der freien Wortstellung (Wortstellung ohne grammatische Funktion) gedeutet wurde (vgl. *Braune*, O1; *Meillet*, E2, 187). In der got. Skeireins kommt die Endstellung häufiger als andere Verbstellungen vor; der Einfluß des Lat. kann aber nicht ausgeschlossen werden. In den Fällen, wo Wulfila in seiner Bibelübersetzung ein griechisches Wort durch die Verbindung mehrerer Wörter wiedergibt, überwiegt der Typus Nominalform – Verbum finitum, z. B. *gameliþ ist; arbi nimiþ*. Dem Pronomen scheint keine Sonderstellung wie in den anderen Dialekten zuzukommen: es erscheint vor dem Verb, wenn ein Nomen vorausgeht *airþai þuk gaïbnjand*, steht aber nach dem Verb, wenn ein Nomen fehlt, *ushaihah sik* (*Fourquet*, O2, 282). Wenn das Gotische also in bezug auf die Stellung der Pronomina innoviert hat, so ist der Satzkern pronominale Glieder – nominale Glieder – Verb des Systems I (Beowulf) als Fortsetzung eines urgermanischen Zustands zu betrachten (*Fourquet*, O1, 321). Die Zweitstellung, die in den altgerm. Sprachen den häufigsten Typus im Hauptsatz darstellt, war also nicht urgermanisch sondern erst in den altgerm. Sprachen etwa vom 6. nachchristlichen Jh. an aufgekommen und stellt eine Reihe konvergenter Entwicklungen dar (ähnliche Entwicklungen, die in schon getrennten Zweigen verwandter Sprachen aufkommen).

Auf Grund der Verbstellungsvarianten sowie der Stellung der Konstituenten in der Nominalgruppe kommt *P. Hopper* (E2), der die Wortstellung im Lichte der Wortstellungstypologie rekonstruiert, zu dem Ergebnis, daß das Germ. eine Übergangsstufe zwischen der überwiegend SOV-Stellung des Idg. und der SVO-Stellung der germ. Einzelsprachen darstellt. *Hopper* nimmt an, das Germ. habe aus dem Idg. einen markierten emphatischen Typus mit Anfangsstellung des Vf. und einen nichtmarkierten Typus mit Endstellung ererbt. In komplementärer Distribution mit dem Endstellungstyp sei im Hauptsatz der vom Idg. ererbte, nichtmarkierte Untertyp mit Zweitstellung der ein- oder zweisilbigen enklitischen Verben (nach Wackernagels Gesetz im Idg.). Auch *J. R. Smith* (O2) geht von der Endstellung des Vf. im ältesten Germ. aus.

Die Vorstufe des Ahd. muß also eine Opposition zwischen Anfangsstellung und späterer Stellung des Vf. gekannt haben. Im Ahd. wird die Anfangsstellung des Vf. weitgehend auf besondere Satztypen beschränkt: auf Fragen, Imperative, Bedingungssätze. Im selbständigen Hauptsatz begegnet die Anfangsstellung häufiger in der Dichtung als in der Prosa. Schon im ältesten Prosawerk des Ahd., der Isidor-Übersetzung, ist die Zweitstellung herrschende Regel; in zahlreichen Fällen tritt das Vf. gegen die lat. Vorlage in zweiter Stellung auf (Einzelheiten bei *Lippert,* E3, 52–97). Das Verbum kann die dritte Stelle einnehmen, wenn unbetonte Pronomen und Adverbien zwischen das erste Satzglied und das Vf. treten: vgl. gegen die Vorlage *Erino portun ih firchnussu, Portas aereas conteram; Endi ih inan chistiftu in minemu dome, Et statuam eum in domo mea* (*Fourquet,* O2, 130, 127). Im ältesten Ahd. ist eine Opposition in der Verbstellung zwischen Haupt- und Nebensatz schon ausgebildet: das Vf. steht im eingeleiteten Nebensatz um mindestens eine Stelle weiter gegen Ende des Satzes als im Hauptsatz, vgl. Hauptsatz *ir* (›er‹) *uuardh man uuordan,* Nebensatz *dhazs ir man uuardh wordan, dhazs ir man uuordan uuardh* (*Fourquet,* O2, 147).

Seit der ahd. Zeit gilt also die Zweitstellung als Regel im aussagenden Hauptsatz. In der mhd. und nhd. Prosa kommt Später- bzw. Endstellung im Hauptsatz selten und dann nur in gewissen Satztypen vor, während sie in der mhd. Dichtung häufig und in der nhd. nicht selten gebraucht wird (zu den verschiedenen stilistischen Faktoren siehe *B. Horacek,* O3, 63–78, 84–177). Vom 14. Jh. bis ins 18. Jh. findet sich Endstellung in Sätzen mit anaphorischem Anschluß an einen vorangehenden Hauptsatz oder selbständigen Satz. Nicht nur Pronomina und Adverbien, die sowohl demonstrativ als auch relativisch gebraucht werden *(der, da),* kommen vor, sondern auch andere wie *derselbe, solch, deshalb, deswegen, also,* die rückweisende Funktion haben (dazu *Behaghel,* IV, 17–19; *Maurer,* O1, »Untersuchungen«, 185-188): *starb im die erste Frau, derhalb er ein andere nam* (Montanus, aus *Behaghel,* IV, 18). In der mit *und* eingeleiteten Fortsetzung eines Hauptsatzes (Folgesatz) erscheint der altgerm. Typus mit End- bzw. Späterstellung als Variante neben der Zweit- und Anfangsstellung bis ins Nhd. hinein: *im wart daz guot gar genomen, und er dehein widermüete an sinem libe nie gewan darumbe* (Berthold, aus *Behaghel,* IV, 25).

Die Anfangsstellung des Vf. im Hauptsatz nimmt vom 9. bis zum Ende des 10. Jhs. stark ab und ist schon zu Beginn der mhd. Zeit untergegangen, tritt aber im späten Mhd. erneut auf. Die jüngere Anfangsstellung wird am Anfang auf Verben des Sagens beschränkt und tritt auf in größerem Umfang erst von der Mitte des 15. Jhs. an, zunächst nur bei solchen Denkmälern, die auf lateinischer Vorlage beruhen (dazu *Maurer,* O1, »Zur Anfangsstellung«). Durch »Inversion nach *und*« kommt das Verb an die Spitze zu stehen: *der strick ist zerbretten und sint wir erlöset* (Wyle, aus *Behaghel,* IV, 31). Als Variante neben der Zweitstellung . . . *und wir sint erlöset* findet sich die Inversion im allgemeinen Gebrauch vom Ahd. bis ins 18. Jh. Kurz vor der Jahrhundertwende wurde die »Inversion nach *und*« eine grammatische Streitfrage (Literatur bei *Behaghel*, IV, 35), als sie aus der Amtssprache in die allgemeinere Schriftsprache drang. Diese Verbstellungsvariante, die heute als nicht korrekt gilt, hat keine überzeugende Erklärung gefunden. Anfangsstellung begegnet heute auch im Nachsatz: *als ich aufwachte, war sie nicht mehr da.* Im Ahd. konkurrierte die Anfangsstellung (die seltenere Form) mit der Zweitstellung, die in hoch- und spätmittelalterlichem Dt. die weitaus häufigere Form wurde: *do diz alsus was getan, der marschalc fuor von im zehant* (Parzival, aus *Horacek*, O1, 423). Im Frnhd. tritt die Anfangsstellung wieder hervor; die Zweitstellung wurde eine Seltenheit, außer wenn ein anaphorisches Einleitungsstück an der Spitze steht.

Die End- bzw. Späterstellung des Vf. im Nebensatz wurde in der älteren Forschung meist von der Endstellung des infiniten Verbs (Inf. und Partizipien) getrennt behandelt. Vom Stand des heutigen Deutsch ausgehend spricht die neuere Forschung in beiden Fällen vom *Satzrahmen* oder von der *Satzklammer*. Im eingeleiteten Nebensatz bilden das Einleitungsstück am Anfang und das Vf. am Ende den Rahmen bzw. die Klammer, im Hauptsatz wird der Rahmen durch das Vf. in der Zweitstellung bzw. Erststellung in Satzfragen, Befehlen, usw. und das infinite Verb oder das trennbare Präfix am Ende gebildet. Zur Rahmenbildung gerechnet sind oft auch die eng mit dem Verb verbundenen adverbialen und nominalen Ergänzungen (z. B. *nach Hause kommen, Erfolg haben, in Erfahrung bringen*, usw.), die regelmäßig vor dem infiniten Verb im Hauptsatz, im Hauptsatz ohne infinites Verb am Ende stehen. Wenn das Vf. im eingeleiteten Nebensatz und das infinite Verb im Hauptsatz nicht in absoluter Endstellung stehen, spricht man von *unvollständigem Rahmen* oder von der *Ausklammerung* von Satzgliedern. Die Anfänge der Rahmenkonstruktion reichen mindestens in die germanische Zeit zurück, wo der eingeleitete Nebensatz schon End- bzw. Späterstellung aufweist und Hauptsätze mit Zweitstellung des Vf. häufig Endstellung der infiniten Verbteile oder Richtungsergänzungen zeigen. Das Vorkommen der Rahmenkonstruktion im Hauptsatz in den altgerm. Zeugnissen unterstützt übrigens die Theorie, daß das germ. Vf. ursprünglich auch im Hauptsatz in der Endstellung stand, denn in Sätzen mit Endstellung des Vf. würden die mit dem Vf. eng gebundenen Satzglieder (Inf., Part., trennbares Präfix, obligatorische Adverbialergänzungen) direkt vor dem Vf. stehen. Im Ahd. begegnen absolute Endstellung des Vf. im Nebensatz und absolute Endstellung der infiniten Verbteile im Hauptsatz als Varianten neben der sog. »relativen« Endstellung, in der verschiedene

Konstituenten ihnen folgen (dazu *Bogoljubov*, O1; *Bolli, Reis, Šubik*, O3).

Wir verzichten hier auf Einzelheiten der ahd. und mhd. Verbstellung und befassen uns mit der Entwicklung der Rahmenkonstruktion zum vorherrschenden Wortstellungstypus im Nhd. Für die Zeit vom 14.-20. Jh. liegen mehrere statistische Untersuchungen vor. Wir können mit *Guchmann* (»Der Weg zur deutschen Nationalsprache«, Bd. II, Berlin, 1969, 79 ff.) und *Admoni* (E5, »Umfang«) drei Varianten unterscheiden: (1) Sätze ohne Rahmen wie *Reussen ist ein groß mächtigs landt vnd ist gelegen vnder dem vorgenanten Stern Tramontana;* (2) Sätze mit vollständigem Rahmen, wie *Ich hab dich meinē frewnd Johanni empfohlen;* und (3) Sätze mit unvollständigem Rahmen (mehr oder weniger viel Satzglieder sind ausgeklammert): *darin ward maria gottes mūter begrabē mit großer reinigkeyt* (Beispiele aus *Guchmann*, 79). Sätze, die auf Hilfsverb + infinitivem Verb ausgehen, wie . . . *der das bůch kúnde auffgetůn* rechnen *Guchmann* und *Admoni* neben der Variante . . . *der das bůch auffgetůn kúnde* zum Typus mit vollständigem Rahmen. Im 14./15. Jh. ist nach *Admoni* (E5, »Umfang«, 184) die Zahl der Sätze ohne Rahmen gering, die der Sätze mit unvollständigem Rahmen bescheiden. Der vollständige Rahmen erweist sich in allen der von ihm untersuchten Texte als die vorherrschende Form. Auch in denjenigen Texten des 16. Jhs., die »besonders ungekünstelt sind und ganz unmittelbar mit der einfachsten Erzählweise zusammenhängen« machen die Sätze ohne Rahmen und die Sätze mit unvollständigem Rahmen noch einen verhältnismäßig geringen Teil der einer Rahmenbildung fähigen Sätze aus. Stichproben aus Luthers Fabeln ergeben 113 Sätze mit vollständigem Rahmen, 5 Sätze mit unvollständigem Rahmen, keine mit Aufhebung des Rahmens (*Admoni,* E5, »Umfang«, 185). Daraus läßt sich schließen, daß die Rahmenbildung wohl ein wesentlicher Zug auch der gesprochenen Sprache jener Zeit war. Im 17. Jh. kommen in den meisten Texten Sätze ohne Rahmen überhaupt nicht vor. Die Prozentzahl der Sätze mit unvollständigem Rahmen geht auch erheblich zurück. Nach den Zählungen *Admonis* (E5, »Razvitie struktury«, in *Weber,* H, 131 f. zusammengefaßt) gehen die Sätze ohne Rahmen und die Sätze mit unvollständigem Rahmen um mehr als die Hälfte zurück: 16. Jh., 18,0%; 17. Jh., 8,5%. In einigen Texten des 17. Jhs. herrschen fast uneingeschränkt Elementarsätze mit vollständigem Rahmen. Im 18. Jh. schwinden die Sätze ohne Rahmen vollständig, Sätze mit unvollständigem Rahmen behaupten noch ihre Stellung. Es ergibt sich, daß das 17. Jh. die Zeit der höchsten Entfaltung der Rahmenkonstruktion war.

Bis zum 17. Jh. war im Prinzip die Ausklammerung aller Satzglieder möglich. Besonders häufig ausgeklammert waren Präpositionalobjekte und -adverbiale, Ausdrücke mit Vergleichspartikel, Relativ- und andere Nebensätze, die alle auch heute besonders oft nachgestellt werden. Selten nachgestellt waren Nominative, nichtpräpositionale Objekte und Adverbien. Schon *Behaghel* (O1, »Zur dt. Wortstellung«, 1900) wies auf Grund seiner Stichproben darauf hin, daß in älterer Zeit die nachgestellten Bestimmungen viel häufiger als im 19. Jh. notwendige Ergänzungen waren. *W. Hartmann* (O3) konnte in seiner Untersuchung frnhd. Bibelübersetzungen ein Abnehmen der Ausklammerung notwendiger Ergänzungen feststellen. Obwohl sich auf Grund von statistischen Untersuchungen allgemeine Tendenzen feststellen lassen, erschwert das starke Schwanken der Rahmendurchbrechung den Versuch, die Bedingungen der Entwicklung zu erfassen. Offensichtlich spielen hier der Umfang der ausgeklammerten Satzglieder, die Tragfähigkeit des rahmenbildenden Elements (z.B. einsilbiges Präfix gegenüber mehrsilbigem Partizip), die Thema-Rhema Ordnung des Satzes und wohl auch in gewissen Stilgattungen des Frnhd. die Rhythmisierung des Satzschlusses nach bestimmten Schemata eine Rolle.

Wie ist nun das Vorherrschen der absoluten Endstellung im Nebensatz seit dem 17. Jh. zu erklären? Es wird häufig behauptet, daß die Endstellung des Vf. auf lateinischem Einfluß beruhe. Diese These stellte als erster *O. Behaghel* (O1, »Zur dt. Wortstellung«, 1892) auf. Es wird aber oft übersehen, daß *Behaghel* nur die absolute Endstellung (= den vollständigen Rahmen) auf den Einfluß des Lat. zurückführte, nicht aber die Späterstellung (= den unvollständigen Rahmen). Er wies darauf hin, daß mit der Durchführung der Endstellung im Nebensatz ein bereits vorhandener Typus zur Herrschaft gekommen war. Zeugnisse für das Vorherrschen der Endstellung im damaligen Latein konnte er jedoch weder aus Texten noch aus lateinischen Schulgrammatiken der Zeit beibringen. *Fleischmann* (M, 43-54), der sich gegen *Behaghels* These wendet, zitierte unter anderem die einflußreiche lat. Grammatik Melanchthons vom Jahre 1572, die nicht Endstellung des Vf. im Nebensatz fordert, sondern, einer jahrhundertealten Tradition folgend, die Stellung nach dem Nominativ (= Zweit- oder Mittelstellung). Nach *Behaghels* Theorie müßte der Einfluß des Lat. zuerst auf die lateinkundige Oberschicht gewirkt haben. *B. Stolt* hat die Sprache eines Mitglieds dieser gebildeten Schicht untersucht – die lateinisch-deutsche Sprachmischung in Luthers Tischreden. Sie konnte feststellen, daß 72% der mit *daß* eingeleiteten Sätze absolute Endstellung des Vf. haben, dagegen nur 27% der durch *quod, ut* oder *ne* eingeleiteten

41

lat. Nebensätze. Im Lat. herrscht mit 45 % sogar die Stellung des Vf. direkt nach der Konjunktion vor, die in *daß*-Sätzen gar nicht vorkommt (*Stolt*, E5, 161). Für Luthers Tischreden ist also der Einfluß des lat. Nebensatzes auf die Wortstellung des dt. Nebensatzes ausgeschlossen.

Wir müssen daher den Anstoß zur Durchführung der Endstellung anderswo suchen. *C. Biener* (O1), der sich der Behaghelschen These vom lat. Einfluß weitgehend anschloß, betonte auch die Rolle der deutschen Schulgrammatik. Diesem Problem ist nun *Fleischmann* (M, 57–65, 325–368) erneut nachgegangen. Erst nach Stieler 1691 und Bödiker 1690 führen die Grammatiker die Konjunktionen auf, die mit Endstellung des Vf. erscheinen. Steinbach 1724 empfiehlt die absolute Endstellung, Aichinger 1754 gibt detaillierte Regeln dafür. Da diese Angaben in etwa mit der Zeit zusammenfallen, in der die Rahmenkonstruktion im Nebensatz herrscht, schließt *Fleischmann* daraus, daß die strenge Durchführung der Endstellung auf den Einfluß der dt. Schulgrammatik zurückzuführen ist: sie erhob die schon in der geschriebenen Sprache vorherrschende Endstellung zur absoluten Regel.

Das Vorherrschen der Endstellung des Vf. in der Schriftsprache des 17. Jhs., die dann von den Grammatikern zur festen Regel erhoben wurde, bleibt noch zu erklären. *W. Hartmann* (O3, 185 ff.) *H. Weber* (H) und *P. von Polenz* (D, 95 f.) sehen darin eine typologische Entwicklung von der zentrifugalen zur zentripetalen Wortfolge: die mit dem Prädikat interdependenten Satzglieder treten vor das Prädikat. Zur Entwicklung des zentripetalen Wortstellungstypus gehört nach *Weber* und *von Polenz* auch das rasche Zunehmen der erweiterten Attributgruppe (dazu 3.3.3.) in der zweiten Hälfte des 16. Jhs. und am Anfang des 17. Jhs. Die Feststellung solcher sprachtypologischen Gemeinsamkeiten kann aber nur innerhalb einer (noch ausstehenden) Theorie der Sprachtypologie und der diachronen Syntax eine Erklärung bieten. *Fleischmann* (M) versucht, diese Entwicklung im Rahmen der Relieftheorie *Weinrichs* zu erklären. In älterer Zeit habe die Verbstellung zur Unterscheidung eines Vordergrund-Sachverhalts (Zweitstellung) und eines Hintergrund-Sachverhalts (Endstellung) gedient; allmählich sei durch Verschiebungen im System der Partikeln die Verbindung von Einleitungswort und Endstellung grammatikalisiert worden.

In den obigen Ausführungen zur Entwicklung des Satzrahmens wurde nicht zwischen der Stellung mhd. . . . *daz er ez hat getân* und *daz er ez getân hat* unterschieden; sie wurden beide als vollständiger Rahmen betrachtet. In den Denkmälern vor Notker steht der Typ finite + infinite Form (z. B. *thaz sin namo . . . uuerdhe giuuihit*) zum umgekehrten Typ im Verhältnis 2:1 (*Müller/Frings*, M, »Festschrift Weisgerber«, 170). Bei Notker überwiegt Infinitum vor Finitum. Diese Stellung behauptet sich aber nicht; schon bei Williram und später im Mhd. erscheinen beide Varianten als gleichberechtigt. Im 14.–16. Jh. ergibt sich im ganzen ein deutliches Übergewicht der Fälle mit der Stellung Infinitum vor Finitum: Jahrhundertsdurchschnitte nach *Maurer* (»Untersuchungen«, von *Weber*, H, 132, errechnet) der Stellung Fin. vor Inf. sind fürs 14. Jh. 28%, fürs 15. Jh. 20%, fürs 16. Jh. 22%. Im 17. Jh. geht die Häufigkeit der Sätze mit Finitum vor Infinitum auf nur 8% zurück.

Es ist schwer, die Bedingungen der Stellung von infiniten und finiten Prädikatsteilen zu dieser Zeit festzustellen. *Maurer* (O1, »Untersuchungen«, 168) behauptet, die Nachstellung des finiten Teils sei unter lat. Einfluß von der Passivumschreibung mit *sein* ausgegangen; von dort aus habe sie auf die Verbindung aktiver Verba mit *sein* übergegriffen und schließlich auf die Verbindung mit *haben*. Diese Entwicklung setzt voraus, daß das Vf. im damaligen Latein am Ende steht, was aber nicht bewiesen wird. Zweifellos spielen hier rhythmische Faktoren eine Rolle (*Behaghel*, IV, 88–108); sie sind aber nicht geklärt.

3.3. Die Substantivgruppe

Der Ausbau der Substantivgruppe ist eine der wichtigsten Entwicklungen der Struktur des deutschen Satzes. Aus der älteren Zeit behandle ich die Entstehung des bestimmten und unbestimmten Artikels und die Stellung der Adjektiv- und Genitivattribute, aus der nhd. Zeit die Entwicklung des pränominalen erweiterten Attributs und der postnominalen präpositionalen Attribute. Zum Problem der substantivischen Zusammensetzung sei auf *Pavlov* (G1) und die dort aufgeführte Fachliteratur hingewiesen.

3.3.1. Entstehung des Artikels

Die Entwicklung des bestimmten Artikels aus dem vom Idg. ererbten Demonstrativpronomen setzt schon vor der Überlieferung ein. Ob sie urgermanisch war, ist fraglich: der Artikel findet sich nicht in den ältesten nordischen Inschriften. Man bringt diese Entwicklung mit mehreren Vorgängen in den germ. Sprachen in Verbindung. Man sieht darin eine Reaktion auf die unter Wirkung des germ. Wurzelakzents wachsende Schrumpfung der Flexionsendungen (z. B. *von Polenz*, D, 21; *Tschirch*, D, Bd. I, 164 f.): sie soll die grammatische Leistung verlorengegangener oder unkenntlich gewordener Flexionsendungen übernommen haben. Es finden sich in den altgerm. Dialekten tatsächlich eine große Zahl von mehrdeutigen Kasusformen, besonders beim schwachen Adjektiv und bei den vielen Nomina der *n*-Deklination. Es gibt aber keine prinzipielle Antwort auf die Frage, zu welchem Zeitpunkt beim Zusammenfall von Flexionsendungen notwendigerweise zu einem neuen Sprachelement gegriffen wird, damit Störungen der Kommunikation vermieden werden. Es lassen sich auch Gegenbeispiele zu dieser Hypothese bringen. Das Griechische entwickelte einen Artikel zu der Zeit, in der die Kasusformen noch intakt waren; Artikel und Kasusendungen bestanden lange nebeneinander. Unter den germ. Sprachen weist das Gotische, in dem die Formenschrumpfung erst verhältnismäßig gering war, schon einen Artikel auf. So kann daran gezweifelt werden, daß der Verfall der Flexionsendungen einen wichtigen Anteil an der Schaffung des bestimmten Artikels gehabt hat.

Es ist wahrscheinlich, daß die germanische Unterscheidung zwischen starken und schwachen Adjektivformen eine Rolle spielte. Aus dem Gebrauch der artikellosen Formen in den ältesten germ. Denkmälern läßt sich eine formale Opposition schwache Form = bestimmt / starke Form = unbestimmt erschließen. Das Demonstrativpronomen stand nun beim Substantiv, beim substantivisch gebrauchten Adjektiv und beim Substantiv mit Adjektivattribut, das dabei regelmäßig in der schwachen Form steht. Am Anfang der Entwicklung konnte das schwache Adjektiv allein als Bezeichnung der Bestimmtheit dienen. Neben bestimmt gebrauchten schwachen Adjektiven gab es aber eine Reihe von Adjektiven, die immer schwach aber nicht immer bestimmt gebraucht waren: Komparative, Ordinalzahlen, begrenzt auch die adjektivischen Part. Präs. und die Superlative (dazu *Kuhn*, G4, 292 f.). Das schwache Adjektiv konnte daher nicht als eindeutige Bezeichnung der Kategorie Bestimmtheit dienen. So wird das Demonstrativpronomen, das oft mit dem schwachen Adjektiv auftritt, unter Abschwächung der Deixis langsam zum bestimmten Artikel und tritt dann zu bloßen Substantiven (*Kuhn*, 293). Die schwache Form des Adjektivs wurde als vom Artikel abhängig uminterpretiert. Die Entwicklung des Demonstrativs zum Artikel kann auch als Ausdrucksparallele beim Substantiv zu der Unterscheidung bestimmt/unbestimmt in der Adjektivflexion stattgefunden haben.

Obwohl sich das Aufkommen des Artikels so möglicherweise aus dem germ. System heraus erklären läßt, wird man dazu geneigt sein, den Einfluß des Romanischen als befördernd zu betrachten, wenn auch nicht als alleinige ›Ursache‹, zumal das Ahd. und Altfrz. wesentliche Parallelen im Artikelgebrauch aufweisen und mit einer jahrhundertelangen Zweisprachigkeit zwischen Franken und Galloromanen zu rechnen ist (vgl. *Brinkmann*, E3, 8; *von Polenz*, D, 35). In der ahd. Literatur kann man die Verbreitung des Gebrauchs des bestimmten Artikels von der Isidor-Sippe bis zur reichen Entfaltung bei Notker verfolgen.

Die Entwicklung des unbestimmten Artikels im Dt. ist wesentlich klarer als die des bestimmten. Dem Got., dem älteren Ae. und Ahd. (Isidor, Tatian) war er noch fremd, er kam zuerst bei Otfrid auf. Zur Entwicklung des unbestimmten Artikels aus dem Zahlwort *ein* waren im Germ. keine Ansätze vorhanden. Daher ist vor allem an den Einfluß des Romanischen zu denken.

3.3.2. Die Stellung der Adjektiv- und Genitivattribute

In den ältesten idg. Dialekten kommt Voran- sowie Nachstellung des attributiven Adjektivs vor. Für die idg. Ursprache ist wohl eine nichtmarkierte Stellung Adjektiv – Nomen zu rekonstruieren (dazu *Lehmann*, E1, 69; *Friedrich*, E1, 10). Die frühen germ. Dialekte weisen beide Stellungen auf. Im Got. stimmt die Stellung des attributiven Adjektivs in Nominalphrasen ohne Demonstrativ *so*, usw. bis auf nur ein paar Ausnahmen völlig mit der der griech. Vorlage überein. In den Fällen, wo griech. Komposita unabhängig von der Vorlage durch Adjektiv und Nomen übersetzt werden, konnte das Adjektiv sowohl vor wie nach dem Substantiv stehen, woraus sich schließen läßt, daß das Got. frei war in der Stellung des Adjektivs vor oder nach dem Substantiv (vgl. *Trutmann*, H, 121, 126). In den frühsten Quellen der anderen germ. Dialekte überwiegt die Voranstellung des Adjektivs. In der ältesten dt. Prosa ist Voranstellung das Normale. Außer Fällen, in denen das Adjektiv von größerem Umfang ist, finden sich wenige Belege der Nachstellung. Im Mhd. verschwindet die Nachstellung aus der Prosa. Sie lebte in der Dichtung weiter, vor allem in der Verwendung als Reimwort; im Versinnern kommt sie von der mhd. Zeit an nur vereinzelt vor (*Behaghel*, IV, 199). Von erstarrten Formeln wie *Vater unser* (unter Einfluß des lat. *pater noster*) abgesehen, wird das nachgestellte Adjektiv in späterer Zeit zum Kennzeichen der archaisierenden Dichtung.

Für das Idg. sowie das Germ. muß man verschiedene semantische Kategorien des Genitivs unterscheiden. Im Germ. stand der nichtpartitive Genitiv wahrscheinlich vor dem regierenden Substantiv und der partitive Gen. nach dem Substantiv (*Behaghel*, IV, 177), während umfangreiche nichtpartitive Genitive auch nachstehen konnten. Im Got. und An. kommen beim nichtpartitiven Gen.

sowohl Voran- als auch Nachstellung vor, im Westgerm. dagegen herrschte Voranstellung (*Hopper*, E2, 62). *Behagel* erkennt drei Hauptstufen in der Entwicklung des nichtpartitiven Genitivs: in der ersten Stufe, dem Germ., stehen nichtpartitive Genitive jeder Art voran, in der zweiten Stufe treten die Sach- und Abstraktbezeichnungen hinter das regierende Substantiv, in der dritten Phase stehen Personenbezeichnungen, die nicht Eigennamen sind, nach, während Personennamen fakultativ nachstehen können. Bei Isidor und Tatian stehen die Nichtpersonenbezeichnungen mit nur wenigen Ausnahmen noch vor dem Substantiv, aber schon bei Notker stehen sie häufiger nach als voran (*Carr*, O4). Bei Albrecht von Eyb (15. Jh) ist nach *Behagel* (IV, 187) die Nachstellung der Nichtpersonenbezeichnungen so gut wie vollständig durchgeführt, während die Eigennamen im 15. und 16. Jh. noch vorangestellt sind und nur unter lateinischem Einfluß nachstehen (*Carr*, 477 f.). In den meisten Mundarten ist der Genitiv von Nichtpersonenbezeichnungen untergegangen. In der Schriftsprache ist Nachstellung die Regel geworden, obwohl Abweichungen im gehobenen Stil noch zahlreich sind.

Zum Schluß sei die >Fernstellung< von attributiven Adjektiven und Genitiven zu erwähnen. Sie ist eine germanische Konstruktion und kommt im älteren Dt. nicht selten vor: *hoher stein und fester* (Notker, aus *Behaghel*, 04, »KZ« 57, 171). Die Konstruktion beim Adjektiv ist im 15. und 16. Jh. im allgemeinen verschwunden.

3.3.3. Erweiterte Adjektiv- und Partizipialattribute

Die Entwicklung des pränominalen erweiterten Adjektiv- und Partizipialattributs *(der gestern von einem Polizisten festgenommene Einbrecher)* hat erst in neuester Zeit eingehendere Betrachtung gefunden: *Admoni* (H), *Weber* (H). Ich fasse zuerst die Ergebnisse *Webers* zusammen und führe anschließend Erklärungsversuche von seiten der Transformationsgrammatik sowie der typologischen und funktionellen Betrachtungsweise auf.

Außer bei Notker kommen vorangestellte erweiterte Attribute in der ahd. Literatur nur ganz vereinzelt vor. Notker verwendet das erweiterte Attribut sowohl unabhängig von der lat. Vorlage als auch als Übersetzung verschiedener lat. Konstruktionen: *des obe houbete hangenten suertes – gladii pendentis supra uerticam* (aus *Weber*, 79). Notkers Neuerung hat nicht weitergewirkt. In der höfischen Dichtung des 12. und 13. Jhs. geschah die Erweiterung eines attributiven Adjektivs oder Partizips im allgemeinen nur durch ein Gradadverb wie *vil, so, wol,* usw.: *mit vil seltsænen sitten* (Hartmann). In der mhd. Kanzleisprache sind erweiterte Attribute außerhalb der Formeln selten, in der Sprache der Mystik kommen eingliedrige Erweiterungen vor, die meist mit dem Partizip verschmolzen sind: *sin minnesûchendes herze*. Im Ackermann aus Böhmen (ca. 1400) begegnet die Konstruktion wesentlich häufiger als in der Zeit vorher oder nachher und wird von *Weber* als individualistische Abweichung Johanns von Tepl betrachtet. Zusammenfassend stellt *Weber* fest, daß das mittelalterliche Deutsch in seinem syntaktischen System nur eine »Vorform« des erweiterten Attributs, die Erweiterung durch ein Adverb, kannte. Nominale Glieder sind meist als Kompositionsglieder des Adjektivs oder Partizips aufzufassen. Das erweiterte Attribut in der Form der Adjektivierung eines ganzen Satzes ohne Eliminierung der vom Prädikat abhängigen Satzglieder (außer dem Subjekt) tritt zuerst in der zweiten Hälfte des 16. Jhs. in der Kanzleisprache auf, setzte sich dort schnell durch und fand einige Jahrzehnte später Eingang in den Stil der wissenschaftlichen und literarischen Prosa (124). Die Adjektivierung der Prädikate geht sogar noch weiter als im heutigen deutschen erweiterten Attribut: es wird ein Part. Präs. von *haben* gebildet, und das Part. Präs. konnte zur Adjektivierung von passivischen Sätzen dienen: *Unseren ferners auslassenden Kayserlichen Edicten* = Edikte, die ausgelassen werden (98). Die passivischen Part. Präs. verschwinden im 19. Jh. Im Stil der Wissenschaft nehmen die erweiterten Attribute gegen Ende des 17. Jhs. an Umfang und Häufigkeit zu, werden im 19. und 20. Jh. ein häufig verwendetes Muster, doch bestehen große individualistische Unterschiede (107). Die erweiterten Attribute sind in allen von *Weber* untersuchten Texten der erzählenden Prosa wesentlich seltener und wesentlich kürzer als in den anderen Stilen (110).

Die Entwicklung des erweiterten Attributs kann uns als Beispiel für die Behandlung einer syntaktischen Veränderung im Rahmen der Transformationsgrammatik dienen. Wenn wir attributive Adjektive und Partizipien aus Relativsätzen ableiten (z. B. *der graue Mantel* aus *der Mantel, der grau ist*) so wird dieser Prozeß im Mhd. auf die Erweiterung durch ein einfaches Adverb beschränkt: *die wol gelobeten vrouwen*. Obwohl aus der Entwicklung von durch Nomen und Präpositionalphrasen erweiterten Attributen eine erheblich kompliziertere Nominalphrase in der Oberflächenstruktur resultiert – vgl. *von unsern, zu den jährlichen Visitationes unseres Kayserl. Cammer-Gerichts abgeordneten Kayserl. Commissarien* (Abschied des Reichs-Tags zu Augsburg 1582, aus *Weber,* 182) – stellt die Entwicklung solcher erweiterten Attribute eine Vereinfachung und Generalisierung der Regeln dar, die Relativsätze in Attribute überführen. Für die ältere Zeit müssen auch erweiterte Attribute mit nachgestellten Erweiterungen abgeleitet werden können: *einen geweyheten priester von einem Bischof* (Luther, aus *Weber*, 199). Dazu brauchen wir eine Regel, die eine bestimmte Art von Erweiterungen fakultativ nachstellt. Im Nhd. verschwindet diese Konstruktion; die Nachstellungsregel geht verloren und das Regelsystem wird damit einfacher.

Vorangestellte erweiterte Attribute erscheinen zuerst in der Kanzleisprache und zwar nach *Weber,* der die deutschen Übersetzungen lateinischer Kanzleidokumente untersucht, »infolge des Bedürfnisses, die voranstehende attributive Partizipialkonstruktion des Lateinischen möglichst originalgetreu wiederzugeben (148)«. *Weber* rechnet das vorangestellte erweiterte Attribut wie das vorangestellte einfache Adjektiv zum zentripetalen Wortstellungstypus (Tesnière), in dem das übergeordnete Wort dem untergeordneten folgt. Zu diesem Typ gehören nach *Weber* auch die Endstellung des Verbum finitum im Nebensatz und die Rahmenkonstruktion im Hauptsatz (mit infinitem Prädikatsteil am Schluß). Da sich das erweiterte Attribut etwa in dem Zeitraum ausbildete, in dem die Rahmenkonstruktion im Haupt- und Nebensatz stark an Boden gewann, interpretiert *Weber* die Entwicklung des erweiterten Attributs als Erscheinungsform eines allgemeinen Strukturwandels. Wie aber *J. Hawkins* (H, 365 f.) darauf hinweist, kann die Hypothese *Webers* weder bewiesen noch widerlegt werden, denn das erweiterte Attribut erschien im Deutschen fast zur gleichen Zeit als es im Lateinischen aufkam. Wenn z. B. die lat. Konstruktion früher erschienen wäre, aber das Dt. die Konstruktion erst während der Veränderung zugunsten der zentripetalen Verbstellung übernommen hätte, könnte das gleichzeitige Auftreten der beiden Konstruktionen als Stütze der These, daß die zentripetale Wortfolge eine Voraussetzung für die Ausbildung des erweiterten Attributs sei, aufgeführt werden. Diese Kritik gilt auch für die Hypothese von *W. P. Lehmann* (03), daß die Entwicklung des erweiterten Attributs, das er den vorangestellten »Relativsätzen« in SOV-Sprachen wie Japanisch und Türkisch gleichsetzt, mit der Durchführung der Endstellung des Verbum finitum (SOV-Typus) im Nebensatz zusammenhängt.

In einem Versuch, die typologische Korrelation zwischen Endstellung des Vf. und vorangestelltem Relativsatz auf funktioneller Grundlage zu erklären, streift *S. Kuno* (H) die Entwicklung des erweiterten Attributs im Dt. *Kuno* weist darauf hin, daß in Sätzen mit SOV-Wortstellung nachgestellte Relativsätze notwendigerweise selbsteingebettet (»center-embedded«) sind; vgl. das ungrammatische **daß der Einbrecher, der gestern von einem Polizisten, der vorbeiging, festgenommen wurde, ausgebrochen ist.* Grammatisch dagegen sind die folgenden Varianten von diesem Satz, in denen einer oder beide der Relativsätze in vorangestellte erweiterte Attribute umgewandelt sind: . . . *daß der Einbrecher, der gestern von einem vorbeigehenden Polizisten festgenommen wurde, ausgebrochen ist; . . . daß der gestern von einem vorbeigehenden Polizisten festgenommene Einbrecher ausgebrochen ist.* Kuno stellt die Hypothese auf, daß sich die Korrelation von vorangestelltem Relativsatz und SOV-Wortstellung in vielen Sprachen der Welt aus der Notwendigkeit ergibt, den erheblichen Verständnisschwierigkeiten bei Sätzen mit Selbsteinbettungen aus dem Wege zu gehen. Wahrscheinlich habe sich deshalb auch im Deutschen das erweiterte Attribut entwickelt, als sich die Endstellung des Vf. im Nebensatz durchsetzte (123). Diese Erklärung der dt. Entwicklung ist eindeutig falsch (dazu *Ebert,* H). Wenn Verständnisschwierigkeiten im Spiel wären, würde man erwarten, daß das erweiterte Attribut vor allem in der gesprochenen Sprache anzutreffen wäre, wo Verständnisschwierigkeiten am größten wären. Das erweiterte Attribut gehört aber seit seiner Entstehung zur geschriebenen Sprache. Daß Verständnisschwierigkeiten nichts mit dieser Entwicklung zu tun hatten, beweist der Umstand, daß die deutsche Kanzleisprache des 16. und 17. Jhs., in der das erweiterte Attribut am frühsten und am häufigsten begegnet, nicht nur durch riesige, schwer verständliche Schachtelsätze, sondern auch durch mehrfach ineinander eingebettete erweiterte Attribute gekennzeichnet ist (Beispiele bei *Ebert,* H, 153).

In der Kanzleisprache des 17. Jhs. kam das sog. Partizipium futuri oder passivi (das Gerundiv) auf. Die gewöhnliche Erklärung dieser Form ist, daß der Infinitiv mit *zu,* der in der Funktion eines prädikativen Adjektivs auftreten konnte (vgl. *der Rat ist nicht übel und zu befolgen)* auch attributiv verwendet wurde: *der zu befolgende Rat* (so *Behaghel,* II, 395 f.; *Dal,* 110; *Lockwood,* 153). Problematisch jedoch ist die dem Part. Präs. ähnliche Form *zu befolgende* statt **zu befolgene,* die vielleicht auf die zu dieser Zeit seltene -nd- Form des Infinitivs zurückgeht. Mitgewirkt hat wohl das Part. Präs. auf *-end,* das auch in passiver Bedeutung gebraucht werden konnte. Vielleicht hat sogar das *-nd-* des lat. Gerundivs eine Rolle gespielt.

3.3.4. Der Ausbau der Substantivgruppe

W. *Admoni* (E5, »Der Umfang«) hat den Umfang der Substantivgruppe und deren Rolle im Elementarsatz vom späten Mittelalter bis ins 18. Jh. statistisch untersucht. Im 17. Jh. hebt sich der durchschnittliche Umfang der Substantivgruppe in allen Gattungen ganz deutlich: vgl. *zu dieser den Fürsten gewöhnlichen und wolh anständigen Lust* (Lohenstein, aus *Admoni,* 173). Die Rolle der Substantivgruppe als Bestandteil des Elementarsatzes – der Anteil der zu allen Substantivgruppen des Textes gehörenden Wörter an der Gesamtzahl der Wörter im betreffenden Text – erhöht sich im 17. Jh. und wird im 18. Jh. befestigt: »Im 18. Jahrhundert kam in ihren wesentlichen Zügen auch die Gestaltung der Substantivgruppe in ihrer heutigen Form zum Abschluß, die in der heutigen deutschen Gebrauchssprache massenhaft verwendet wird als das wichtigste Mittel, den Elementarsatz zur Formung sehr reichhaltiger Bedeutungsgehalts fähig zu machen (*Admoni*, E6, 101)«.

Seit dem 18. Jh. hat sich der Gebrauch und Umfang der postnominalen präpositionalen Attribute ausgedehnt (*Eggers*, J). Besonders häufig sind Nomina actionis und substantivierte Infinitive mit ihren präpositionalen Ergänzungen. Auch der nachgestellte attributive Genitiv spielt hier eine große Rolle; man vergleiche folgende komplizierte postnominale Kette: *das Ergebnis des Strebens nach völliger Reinheit jeder Kunst von Elementen aller anderen* (*Eggers*, 267). Diese Konstruktionen, in denen das abhängige Glied dem übergeordneten folgt, stellen die Gegenpole zum erweiterten pränominalen Attribut dar, das nach *Webers* Zählungen im 19. Jh. seinen Höhepunkt erreicht hat und im 20. Jh. an Umfang und Häufigkeit zurückgegangen ist (*Weber*, H, 125).

3.4. Prädikate und Ergänzungen

3.4.1. Einleitendes

Den Kern einer Syntax des Satzes bilden die Regeln, welche die syntagmatischen Beziehungen zwischen einem Prädikat (im Sinne der Relationenlogik) und dessen Ergänzungsbestimmungen (Argumenten) darstellen. In der Dependenzgrammatik und in gewissen Arten der generativen Grammatik, welche die traditionelle Zweiteilung des Satzes in Subjekt und Objekt aufgeben, bestimmt die Zahl der notwendigen Ergänzungsbestimmungen die Wertigkeit (Valenz) des Prädikats: *lieben* (x liebt y) ist ein zweiwertiges Verb, *geben* (x gibt y z) ein dreiwertiges Verb. Im Laufe der Geschichte können Veränderungen der Wertigkeit von Verben stattfinden, die gewöhnlich mit Veränderungen der Bedeutung verbunden sind. Das Verb *verquicken* kam im Frnhd. als zweiwertiges Prädikat in der Bedeutung ›ein Metall mit Quecksilber verbinden‹ auf. Als nicht-notwendige Angabe muß zu dieser Zeit ein pleonastisches *mit Quecksilber* hinzugetreten sein, das sich auf die Bedeutung auswirkte. Mit der Entwicklung dieser Angabe zur obligatorischen Ergänzungsbestimmung trat ein Wandel der Bedeutung von *verquicken* zu ›sich innig verbinden‹ ein. Das Ergebnis war die Erhöhung der Wertigkeit zu *verquicken* als dreiwertigem Verb: *jemand₁ verquickt etwas₂ mit etwas₃* (aus *Heringer,* J, 452). Eine Minderung der Wertigkeit liegt bei der Entwicklung von *rennen* vor. Ursprünglich war *rennen* ›laufen machen‹ kausativ zu *rinnen* ›laufen‹. Durch Ellipse des Objekts in Konstruktionen wie mhd. *daz ors rennen* bekam es die Bedeutung ›schnell reiten‹ (*Wilmanns,* D, III, 488 f.). In der traditionellen Grammatik werden solche Syntagmen unter dem Gebrauch der einzelnen Satzglieder behandelt, vor allem unter dem Gebrauch der einzelnen Kasus. Die Entwicklung des Kasussystems in den germanischen Sprachen wird durch weitgehende Formenneutralisierung, durch den Zusammenfall mehrerer Kasus (Kasussynkretismus) und den Ersatz synthetischer Formen wie Kasusflektion durch analytische Mittel wie Präpositionen gekennzeichnet (dazu *Kozlowska,* G2).

3.4.2. Veränderungen im Objektbereich

Als Objektskasus ging der Genitiv, der im Dt. bis ins Mhd. zunehmend gebraucht wurde, im Nhd. stark zurück und gilt in der dt. Gegenwartssprache als Relikterscheinung. Es werden beim Rückgang des adverbalen Genitivs meist zwei Faktoren als maßgebend bezeichnet: die Abschwächung der Flexionsendungen (*Behaghel,* I, 479) und der Verlust der Sonderbedeutung des Genitivobjekts gegenüber dem Akkusativ (*Dal,* 21). Bei einigen Adjektiven, bei denen früher der Genitiv, später aber der Akkusativ stand, hat die Akkusativrektion ihren Ausgangspunkt beim Neutrum des anaphorischen Pronomens. Im Spätmhd. wurde die Opposition zwischen zwei Sibilanten, die in der normalisierten Orthographie unserer mhd. Editionen als *s* (Gen. *es*) und *z* (Nom./Akk. *ez*) geschrieben werden, aufgegeben. Durch den lautlichen Zusammenfall entsteht eine Indifferenzform (vgl. S. 13: die alte Form *es* wurde als Akk. umgedeutet und die Akkusativrektion breitete sich dann zuerst auf andere Pronomina aus, z. B. *das bin ich zufrieden*. In der heutigen Schriftsprache ist die Akkusativrektion bei einigen Adjektiven auf pronominale Ergänzungen beschränkt, bei anderen erscheinen auch Nomina im Akk., z. B. *ich habe das Gerede nun satt.* Der Übergang von Genitiv- zu Akkusativrektion beim Verbum sowie beim Adjektiv muß auch dadurch gefördert worden sein, daß *daß*-Sätze und Infinitivergänzungen in bezug auf den Kasus merkmallos sind (d. h. Indifferenzformen darstellen) und daß Akkusativobjektsätze der häufigere Typus waren.

Schon in ahd. Zeit konkurrierten Präpositionalobjekte mit Kasusformen als Ergänzungen von Verben. Die Präpositionalfügungen
wurden im Mhd. bedeutender, erlebten dann im Frnhd. eine rasche
Zunahme. Diese Entwicklung wird oft als Tendenz zum analytischen Sprachtypus erklärt, was freilich nur eine Feststellung und
keine Erklärung ist. Der Einfluß der Formenneutralisierung läßt
sich am heutigen Fall der Konkurrenz zwischen *sich erinnern* + Genitiv und *sich erinnern an* + Akk. beobachten (dazu *Starke*, G2,
›ZPSK‹ 22, 186–189). Beide Varianten werden ohne Bedeutungsun-
terschiede nebeneinander gebraucht. Der Genitiv kann in allen vor-
kommenden Fällen durch *an* + Akk. ersetzt werden, das Präpositionalobjekt dagegen nur in einem Teil der Fälle durch den Genitiv.
Die Präpositionalphrase wird überall dort notwendig, wo der Genitiv durch Mittel der Flexion nicht deutlich gekennzeichnet wird.
(*Starke*, 187). Dies gilt für das Indefinitpronomen, für das Adjektiv
(*könnt ihr euch an nichts Besseres erinnern*), für undeutliche Formen
des Demonstrativpronomens (*sie erinnern sich an dieses und jenes,
. . .*), und für das artikellos gebrauchte Substantiv im Plural. Posi-
tionelle Bedingungen können die Wahl der Präpositionalphrase be-
einflussen; die Präpositionalphrase kann ausgeklammert werden, das
Genitivobjekt dagegen nicht: *Die Majestät des Kaisers werde sich eines Tages erinnern an den tapferen Helden Sebastian* (*Starke*, 188).
    Ein partitiver Genitiv erschien früher bei Verben zur Bezeich-
nung, daß nur ein Teil des Objekts von der Verbalhandlung erfaßt
wird: *getrunchin so suozes wazzeres* (Notker), *ich will im mînes brô-
tes geben* (Hartmann von Aue), *so müßt ihr meiner Würscht auch essen* (Hans Sachs, Belege aus *Dal*, 16). In dichterischer Sprache reichen Reste des partitiven Genitivs bis in die Klassik (Belege bei *Behaghel*, I, 575–578). Der Rückgang des partitiven Genitivs im Dt.
wird von *L. Wolff* (G2) als Rückgang der partitiven Denkweise interpretiert, eine Veränderung also im sprachlichen Denken, das hinter den Ausdrucksformen stehen soll. Neben der Schwierigkeit,
Denk- und Sprachformen zu unterscheiden, hat eine solche inhaltliche Betrachtungsweise den Nachteil, daß »Denkformen« und »das
sprachliche Denken« kaum beobachtet werden können und also
leicht zu empirisch leeren Begriffen werden. Im Ahd. und Mhd. erschien der Genitiv neben der erweiterten Negationsform ahd. *(ni)
. . . niowiht*, mhd. *(ne,en) . . . niht*. Der Genitiv war ursprünglich
von dem substantivischen *niowiht, niht* abhängig, aber schon im
Mhd. scheint der Genitiv in dieser Konstruktion keinen semantischen Wert als Partitiv mehr zu besitzen (*Schröbler*, 286): Der Genitiv erscheint auch in Sätzen, in denen die Negationspartikel nicht
substantivisch ist (z. B. bei *nie*). Der Gebrauch des Genitivs bei Ne-

gativen ging im Nhd. stark zurück und ist nur in erstarrten Resten wie *hier ist meines Bleibens nicht* erhalten (*Dal,* 27). Verben mit zwei Akkusativobjekten, mit einem Akk. der Person und einem Akk. der Sache, stellen im heutigen Dt. eine Restklasse dar. Viele der Verben, die früher zwei Akk. neben sich hatten, sowie Verben mit Akk. der Person und Genitiv der Sache sind zu dem geläufigeren Rektionstypus Dativ der Person und Akk. der Sache übergegangen. Der Akk. der Person hat nicht allein Verluste erlitten. Seit Jahrhunderten entwickeln sich verschiedene Gruppen von Verben, neben denen Personenbezeichnungen im Akk. das Ziel einer transitiven Handlung angeben. Die Typen mit *be-*Präfix (z. B. *beliefern, beschenken, beglückwünschen,* usw.) sind neben entsprechende Konstruktionen mit Dativobjekt getreten *(er schenkt ihr Blumen, er beschenkt sie mit Blumen)* oder haben diese gar verdrängt. Diese »Akkusativierung« wird von *L. Weisgerber* (G2; C, 66–79) im Rahmen der inhaltbezogenen Sprachbetrachtung als Enthumanisierung interpretiert: »Im Dativ ist der Mensch Mittelpunkt des Geschehens, wird er als Person zur Geltung gebracht; im Akkusativ wird er ›erfaßt‹, wird er Gegenstand einer geistigen Machtausübung (*Weisgerber,* G2, 200)«. *H. Kolb* (G2) hat nachgewiesen, daß solche transitiven Verben, die schon in der Rechtssprache des ausgehenden Mittelalters – also Jahrhunderte vor dem modernen Zeitalter – zahlreich waren, eine Anzahl syntaktischer Vorteile bieten: u. a. die Möglichkeit des persönlichen Passivs   *(sie wird mit Blumen beschenkt* neben *ihr werden Blumen geschenkt; der Kunde wird beliefert*), der Bildung des Part. Prät., das attributiv verwendet werden kann *(der belieferte Kunde),* und der Substantivierung *(die Belieferung des Kunden),* sowie die Möglichkeit, verschiedene Argumente des Prädikats unausgedrückt zu lassen: *Er liefert die Waren (*er liefert dem Kunden, er beliefert den Kunden).* So bedarf es nicht »des Anblicks in den Geist moderner Gesellschaftsformen« (*Kolb,* 174), um die Entwicklung und Produktivität dieser Verben zu erklären.

3.4.3. Veränderungen im Subjektbereich

In der Geschichte der dt. Sprache läßt sich eine Tendenz zur systematischen Zweiteilung des Satzes in ein in der Oberflächenstruktur vorhandenes Subjekt und ein Prädikat feststellen. Zu dieser Entwicklung gehören der im älteren Dt. zunehmende Gebrauch eines Subjektpronomens, der Übergang vieler unpersönlicher (subjektloser) Konstruktionen in Fügungen mit persönlichem Subjekt und die Entwicklung eines »Scheinsubjekts« *es* in subjektlosen Konstruktionen.

Das Personalpronomen gehört zu einer der ältesten idg. Wortgruppen. Seine Setzung war jedoch nicht obligatorisch, die Personalendungen des Verbs genügten, um die Kategorie Person zu bezeichnen. Das Pronomen scheint im Idg. in der Emphase gebraucht worden zu sein; über den Gebrauch im Germanischen gehen die Meinungen auseinander. In den altgerm. Denkmälern erscheinen eingliedrige Verbalformen neben Formen mit Subjektpronomen. In der got. Bibelübersetzung ist die Setzung bzw. Nichtsetzung eines Subjektpronomens in der Mehrzahl der Fälle durch die griech. Vorlage bestimmt. In den vielen Fällen, wo Wulfila subjektlose griech. Infinitiv- und Partizipialkonstruktionen als got. eingeleitete Nebensätze wiedergibt, erscheint beim Vf. regelmäßig kein persönliches Pronomen, auch nicht in den Fällen, wo es sich um mehrdeutige Verbformen handelt (*Schulze*, G3, 93, 102), dagegen wird oft ein got. Subjektpronomen in Nebensätzen eingefügt, in denen im griech. Text kein Pronomen erscheint (*Schulze*, 105). Das Subjektpronomen scheint also als bedeutende Variante schon im Got. und vielleicht auch früher im Germ. bestanden zu haben.

Im Laufe der ahd. Zeit läßt sich eine Zunahme im Gebrauch des Subjektpronomens feststellen. In den relativ »originalen« ahd. Denkmälern wird das Subjektpronomen seit der frühesten Überlieferung gebraucht, in einigen Texten ausnahmslos, in anderen neben eingliedrigen Verbalformen (*Eggenberger*, G3, 167). Die wenigen Subjektpronomen, die in den interlinearen Übersetzungen gegen die Vorlage gesetzt sind, interpretiert *Eggenberger* als Belege für den Widerstand gegen die undeutschen eingliedrigen Formen, nicht als Belege für das Aufkommen des Subjektpronomens. Das Subjektpronomen wird häufiger im Nebensatz verwendet als im Hauptsatz. In der 1. und 2. Person Singular und Plural kann die Setzung des Pronomens als die Norm bezeichnet werden (*Eggenberger*, 169), während die dritte Person im Hauptsatz das Subjektpronomen in der Mehrzahl der Fälle entbehrt (*Eggenberger*, 169; *Lippert*, E3, 35, Anm. 128). Das Aufkommen des Subjektpronomens wird immer wieder mit der Abschwächung der Endsilben in Verbindung gebracht. Die Endsilbenschwächung kann aber kaum als Ursache für die weitgehende Verwendung von Subjektpronomen im Ahd. betrachtet werden, denn die Personalendungen des ahd. Verbs reichten völlig aus zur Bezeichnung der Person. Der Gebrauch des Subjektpronomens kann umgekehrt kaum die Abschwächung der Flexionsendungen des Verbs bedingt haben, denn die Endungen dienten z. T. zur Bezeichnung von Tempus und Modus.

Nur in einem oberflächlichen Sinne waren ahd. Sätze ohne Personalpronomen »subjektlos«, denn es bestand eine Opposition der

Person beim Verbum, die entweder allein durch die Verbalendung oder durch Subjektpronomen + Verbalendung ausgedrückt wurde. Das Idg., das Germ. und die verschiedenen Stufen des Dt. kennen auch Sätze (z. B. *es regnet; mich friert*), in denen die Stelle des Subjekts semantisch nicht besetzt ist und keine Opposition der Person beim Verb existiert. Die *subjektlosen Sätze* (auch *unpersönliche Konstruktionen, Impersonalia* genannt) haben der traditionellen Grammatik, die von einer in der Logik fußenden Zweiteilung des Satzes in Subjekt und Prädikat ausgeht, viel Kopfzerbrechen verursacht: dazu *Wackernagel,* C, Bd. I, 115 f.; *Lehmann* und *Spranger,* F10; ältere Arbeiten bei *Behaghel,* II, 210 f., *Schröbler,* 392.

Es bestehen seit dem Idg. zwei Muster: Sätze der Form (1) Subjekt-Verb-(Objekt) und (2) Verb-Objekt. In einigen Fällen entwickelten sich unpersönliche Konstruktionen bei früher nur persönlich gebrauchten Prädikaten, während bei manchen Verben der Übergang von unpersönlicher zu persönlicher Konstruktion stattfand. Die traditionelle, nach semantischen Gesichtspunkten erfolgte Einteilung der subjektlosen Sätzen im Dt. entspricht teilweise auch syntaktischen Verhältnissen: (1) die Verben der Naturerscheinungen, neben deren finiten Formen schon im Ahd. das »Scheinsubjekt« *iz* regelmäßig erscheint – *iz regonot, iz sniwit, iz ward aband* aber *ni liaz regonon* (Inf.) (Otfrid); (2) Ausdrücke der Empfindungen und Gedanken (z. B. ahd. *mih hungirit, mih durstit;* nhd. *mich friert, mir graut, mir schwindelt,* usw.), die mit Akk. oder Dativ der Person verbunden sind und bei denen das Pronomen *iz* im Ahd. fehlt, im Mhd. selten und dann nur am Satzanfang erscheint. Den unpersönlichen Ausdrücken für Naturerscheinungen wohl nachgebildet ist der seit dem Spätmhd. aufgekommene, subjektlose Gebrauch einer Reihe von Verben, die gewöhnlich ein bestimmtes Subjekt haben: *es knallt, kracht, klingt, tönt, rauscht, klingelt, läutet, riecht, duftet, dampft,* usw. Erst nhd. belegt sind *es gibt, es hat, es setzt.* Eine dritte, syntaktisch definierte Gruppe bilden die subjektlosen Passivsätze; im Ahd fehlt *iz,* im Mhd. wird *ez* selten gesetzt und nur dann, wenn *ez* den Satz eröffnet.

Viele Prädikate sind von unpersönlicher zu persönlicher Konstruktion übergegangen; man siehe die Übersicht bei *Dal,* 168 f.; *Lockwood,* 171–173. Schon seit dem Ahd. findet sich neben dem Typ *mich hungert* die persönliche Konstruktion *ich hungere.* Umdeutung der unpersönlichen (subjektlosen) Konstruktion war möglich in den Fällen, wo Nom. und Akk. zusammenfielen: *daz kind hungarit* (*Lockwood,* 171 f.). Für den Übergang bei mehreren Verben mit ursprünglichem Genitiv der Sache wird der Zusammenfall der mhd. Laute *z* und *s,* und die damit erfolgte Neutralisierung von

Gen. *es* und Nom./Akk. *ez* verantwortlich gemacht: mhd. *es* (Gen.) *verdriuzet mich* konnte nach der Neutralisierung als *es* (Nom.) *verdrießt mich* aufgefaßt werden. *K. Brugmann* (F10, 33) weist auf semantisch ähnliche Verben, wie *schmerzen* und *reuen,* hin, bei denen schon mhd. die Ursache der Empfindung Subjekt war, und die auf diese Umdeutung der Konstruktion fördernd gewirkt haben könnten. Der Kasusunterschied wird auch aufgehoben, wenn bei *verdrießen* ein Nebensatz oder Infinitivsatz ohne hinweisendes Pronomen steht: *Die iuden die in der selben stat waren / die verdroß es das das kind sang; der mensch hat das zeichē eines waren schauwens / den da verdreüsset in der vnsālikeit dißer welt zū lebē* (Geiler von Kaisersberg, aus *Ebert,* F8, 32). Solche syntaktischen Neutralisierungen bilden den Rahmen für eine Umdeutung der Konstruktion.

Die germanischen und romanischen Sprachen haben in unpersönlichen Konstruktionen ein »Scheinsubjekt« entwickelt. *W.P. Lehmann* (E1, 40) deutet die Einführung von engl. *it (it rained),* dt. *es (es regnet),* frz. *il (il pleut)* als Folge des Übergangs des Germanischen und Romanischen vom SOV-Typus zum SVO-Typus, in dem ein Subjekt nötig ist. *J. Haiman* (F10) sieht die Entwicklung des Scheinsubjekts in Verbindung mit der Entwicklung der Zweitstellung des Verbum finitum im Hauptsatz. *Es* stand ursprünglich nur an erster Stelle direkt vor dem Vf., um die Zweitstellung des Vf. zu sichern. Im Laufe der Entwicklung konnte es dann bei manchen Verben fakultativ auch nach dem Verb stehen (vgl. *es friert mich, mich friert, mich friert's);* allmählich wurde es bei manchen auch nach dem Verb obligatorisch. Die Entwicklung wird als Veränderung in den Regeln und Beschränkungen einer Transformationsgrammatik dargestellt: im Laufe der Geschichte wird das Scheinsubjekt »tiefer«, d.h. es wird früher in der Ableitung eingeführt und kann, wie andere Subjektpronomen, nach dem Vf. gestellt werden, wenn ein anderes Satzglied die erste Stelle im Satz einnimmt.

K. Brugmann geht von der morphologischen Form des Pronomens aus und interpretiert das Auftreten von *es* in den verschiedenen Konstruktionen als analogischen Wandel. Als das Pronomen *es* in die Rolle als Scheinsubjekt eintrat, konnte es schon als Hinweis auf schon Gesprochenes oder auf gleich Auszusprechendes gebraucht werden (z. B. *es scheint, du irrst dich,* ahd. *quadun, iz so zami, er sinan namon nami* (Otfrid, aus *Brugmann,* 16). Dieses hinweisende *es* war nach *Brugmann* nun in den germanischen und romanischen Sprachen zum leeren Formwort herabgesunken und mit der Einführung der Zweitstellung des Vf. diente *es* neben *da* zur Deckung der Spitzenstellung des Verbs. Bei den Verben der Naturerscheinungen war das *es* schon im Ahd. in allen Satzarten durchgedrungen, nicht nur in der Spitzenstellung des Aussagesatzes. *Brugmann* gibt dafür eine funktionelle Erklärung: »Da Verba dieses Bedeutungskreises ganz besonders oft für sich allein den Satz ausmachen, so war hier die Zugabe von *es*, um den Aussagesatz von den anderen Satzarten bequem unterscheiden zu können, ganz wünschenswert: *es regnet; regnet es?; regnete es!* (23).« Die Hinzunahme von *es* bei den Verben der Empfindung soll nach Analogie der Konstruktion mit hinweisendem *es* erfolgt sein: *es schmerzt mich, daß . . .; mich schmerzt es, daß . . .; mich hungert es* (29). Das erst mhd. aufgekommene *es* in den subjektlosen Passivsätzen soll aus den Passivsätzen mit hinweisendem *es* herübergekommen sein (29 f.): mhd. *ez ist ouch verboten von gehorsam, daz . . .* (Berthold); *ez enwart nie gesindes mêre gephlegen* (Nibelungenlied). Das ›syntaktische‹ *es* (z.B. *es ritten drei Reiter zum Tore hinaus*) war im Ahd. nicht gebräuchlich, im Mhd. aber schon ganz geläufig. Dieses *es*, dessen Gebrauch sicher in Verbindung mit dem Rückgang der Spitzenstellung des Vf. im Ahd. steht, sei wiederum aus der Konstruktion mit hinweisendem *es* herübergekommen (35 f.): »Zunächst bedurfte es nur eines kleinen Schritts, . . . z.B. von *es schmerzt mich, daß ich wund bin* zu *es schmerzt mich meine wunde* für *mich schmerzt meine wunde*, weiter zu *es schmerzen ihn seine wunden . . .*«. Diese Erklärung macht das Problematische an allen Erklärungen ›nach Analogie‹ evident: ohne generelle Bedingungen des analogischen Wandels können wir nur intuitiv beurteilen, ob beim vorgeschlagenen Entstehungsweg ein kleiner psychologischer Schritt vorliegt oder bei der Erklärung ein sprachwissenschaftlicher Glaubenssprung.

3.5. Die Entwicklung periphrastischer Verbalformen: Perfekt, Futur, Passiv

Eine *periphrastische* Form (auch *umschriebene* oder *analytische* Form genannt) ist die Verknüpfung von zwei autonomen Elementen, die eine Einheit bilden: die Bedeutung der Periphrase ist nicht mehr aus der der einzelnen Elemente ableitbar. Periphrastische Ausdrucksformen werden *grammatikalisiert*, wenn sie in ein geschlossenes System eingegliedert werden.

3.5.1. Die »Perfekt«periphrase: sein/haben + Part. Prät.

Das älteste Germ. weist nur zwei morphologisch differenzierte Tempusformen auf, das sog. Präsens (eigentlich ›Nichtvergangenheit‹) und das Präteritum. Neben dieser Tempusopposition nimmt man gewöhnlich für das Germ. und das ältere Deutsch eine Opposition aspektueller Art an: mit germ. *ga-, ahd. ga-, gi-, mhd. ge- präfigierte Verbformen stehen zu den nichtpräfigierten in der Opposition (je nach den verschiedenen Darstellungen) perfektiv~imperfektiv, terminativ/resultativ~durativ/kursiv (zum Problem Aspekt/ Aktionsart siehe Schröbler, 351–356, mit Literatur). Das Germanische hat aber wohl nie ein vollausgebildetes, durchsichtiges Aspektsystem wie das der slawischen Sprachen entwickelt (zu dieser Streitfrage der Altgermanistik, siehe F3, F4). Die Feststellung der Bedingungen der Variation von Simplizien und mit ga-, gi-, ge- präfigierten Verbformen in den altgerm. Sprachen wird dadurch erschwert, daß das Präfix zur Bezeichnung verschiedener semantischer Unterschiede dient, daß syntaktische Vorkommensbedingungen auch im Spiel sind und daß die Gefahr des »Hineininterpretierens« bei der Unterscheidung von Tempus und Aspekt besonders groß ist.

Die Periphrase Verbum substantivum + Part. Prät. eines intransitiven Verbums findet sich schon im Got., wo das Partizip allerdings noch flektiert wird und stark adjektivischen Charakter hat. Schon in den ältesten ahd. Denkmälern kommen flektierte Partizipien selten vor, Otfrid verwendet die flektierten Formen nur im Reim (Dieninghoff, F5b, 18). Die Umschreibung mit wesan zeigt sich am frühesten bei werdan und queman ›kommen‹ und während der ganzen ahd. Zeit begegnet sie am häufigsten bei diesen Verben.

Im West- und Nordgerm. entwickelt sich eine Periphrase mit haben/eigan ›besitzen‹ und Part. Prät. Diese Form kommt in den ältesten ahd. Denkmälern (Isidor-Sippe, Interlinearversion der Benediktinerregeln, Murbacher Hymnen, Weißenburger Katechismus) noch nicht vor, sondern taucht erst am Anfang des 9. Jhs. im Exhortatio auf und erscheint in Tatian, im Muspilli, im Ludwigslied, bei Otfrid, Notker und Williram (Dieninghoff, 14). Die Periphrase mit haben wird gewöhnlich als eine Umdeutung der älteren Komplementkonstruktion mit haben interpretiert, in der das Part. Prät. eines transitiven Verbs auf das Objekt von haben bezogen ist: got. sa skatts þeins, þanei habaida galagidana in fanin ›dein Schatz, den ich hielt (bewahrte) bei Seite gelegt im Tuch‹ (aus Dal, 121); ahd. phigboum habeta sum giflanzotan in sinemo wingarten, arborem fici habebat quidam plantatam in vinea sua ›einer hatte einen Feigenbaum als gepflanzten in seinem Garten‹ (Tatian). In dieser Konstruktion bestehen Beschränkungen zwischen haben und dem Akkusativobjekt sowie zwischen dem Partizip und dem Akkusativobjekt. Bei Otfrid finden sich Belege, in denen kein nominales Objekt erscheint, sondern das Verbum im Partizip wird ergänzt durch einen Nebensatz oder durch so: so wir eigun nu gisprochan; Haben ih gemeinit,

. . . *thaz ih einluzzo mina worolt nuzzo.* Bei Otfrid handelt es sich
um keine Komplementkonstruktion mehr, es bestehen keine syntaktisch-semantische Beschränkungen zwischen *haben/eigan* und
dem Akkusativobjekt, das nun als Objekt vom Verbum im Partizip
gedacht wird. Bei Notker erscheint die Konstruktion schließlich bei
intransitiven Verben: *Nu habent sie dir ubelo gedanchot, Uuir eigen
gesundot (Dieninghoff,* 54 f.). In fünf der sechs Belege bei Tatian
kommt wie im Lat. flektiertes Partizip vor; bei Otfrid gibt es nur
drei flektierte Partizipien (aus 43), alle erscheinen in Reimstellung.
Aus Notker führt *Dieninghoff* nur einen Beleg auf.

Das Vulgärlatein hatte eine Perfektperiphrase mit *habeo* entwik-
kelt, die im Romanischen weiterlebt und Anlaß dazu gibt, die Entwicklung der Periphrase im Dt., auch in anderen westgerm. Sprachen, als syntaktische Entlehnung zu betrachten: nach *A. Meillet*
(E2, 129 f.) wurde die lat. Konstruktion schon von den Germanen
nachgebildet; *H. Brinkmann* (E3, 47f.) versucht, die Bildung der
haben- Periphrase auf den Einfluß des Romanischen während der
Zeit von engen Beziehungen zwischen Germanen und Romanen im
Merowingerreich zurückzuführen; *Lockwood* (115) denkt an Entlehnung kurz vor dem Erscheinen der ersten westgerm. Denkmäler
im 7. und 8. Jh. Dagegen kann eingewendet werden, daß das ältere
Altisländische, das sicher nicht vom Lat. oder Romanischen beeinflußt wurde, schon eine Perfektperiphrase mit *haben* + Part. Prät.
aufweist: *hefe ik þik nú mintan* ›ich habe dich nun erinnert‹ (*A.
Heusler.* Altisländisches Elementarbuch, Heidelberg, 1932, § 432).
E. Benveniste (F5b, 205–207) erwägt die Möglichkeit einer Entwicklung des periphrastischen Perfekts mit transitiven Verben im West-
und Nordgerm. als aktiver Parallele zu dem germ. Zustandspassiv
*wesan + Part. Prät., das eine abgeschlossene Handlung bezeichnet.

Die Ausbildung der Form *haben* + Part. Prät. erstreckt sich über
mehrere Jahrhunderte (dazu *Oubouzar,* F5, »Über die Ausbildung«). Wie wir gesehen haben, ist die Form *haben* + Part. Prät. zur
Bezeichnung der vollzogenen Handlung schon bei Notker gewis-
sermaßen grammatikalisiert, indem in einigen Fällen ein Part. Prät.
aus einem intransitiven Verb gebildet wird. In den darauffolgenden
Jahrhunderten erscheint sie nur sehr selten bei kursiven Verben,
Formen des Verbs *haben (hat gehabt)* und der Modalverben *(hat tun
wollen)* sind erst seit dem 16. Jh. häufig, so daß erst zu dieser Zeit
von der vollständigen Grammatikalisierung der Konstruktion gesprochen werden kann (*Oubouzar,* 78 f.). Die Entwicklung der
*Phasen*opposition (*Fourquet,* F; *Oubouzar,* F5a) unvollzogen *(tut)*
~ vollzogen *(hat getan)* neben der Tempusopposition Präsens *(tut)*
~ Präteritum *(tat)* im Deutschen steht wohl in Zusammenhang mit

dem Rückgang der aspektuellen Opposition Null ~ *ge*-. Schon im 13. Jh. war das *ge*-Kompositum vor allem auf gewisse syntaktische Umgebungen beschränkt: mit den Adverbien *ie* und *nie* und in den mit *dô* und *ê* eingeleiteten Temporalsätzen, z. B. *dô man âz* ›als man am Essen war‹ gegenüber *dô man gâz*, etwa ›als man gegessen hatte‹. Im 15. Jh. ist das *ge*-Kompositum fast völlig verschwunden; die aspektuelle Opposition bestimmt nicht mehr das Verbsystem des Aktivs (*Oubouzar*, 44).

3.5.2. Futurperiphrasen

Im germ. Verbalsystem konnte das Präsens zum Ausdruck des Zukünftigen dienen. Im Ahd., Ae., An., und As. entwickelt sich eine Futurperiphrase mit verschiedenen modalen Hilfsverben, die eine Verpflichtung, Absicht oder Möglichkeit bezeichnen. Als Futurperiphrase fungiert im Altdt. vorherrschend ahd. *scal*, mhd. *sol* + Inf., seltener *wil* + Inf. Die Umschreibungen mit ›sollen‹ und ›wollen‹ werden seit dem Spätmhd. immer mehr durch Periphrasen mit *werden* verdrängt. Das Ahd. bietet 15 Belege der Konstruktion *werdan* + Part. Präs. (Belege bei *Saltveit,* F5c, »Studien«, 179), wobei der verbale Charakter des Partizips nicht immer gesichert ist. Meistens drückt die Konstruktion *werden* + Part. Präs., die im Mhd. reichlich belegt ist, das Eintreten einer Handlung oder eines Zustands aus (die ingressive oder inchoative Aktionsart). Da *werden* regelmäßig als Futurum zum Verbum substantivum fungiert und da der perfektive Charakter des Verbums *werden* die reine Gegenwartsbedeutung ausschließt, nehmen die Präsensformen der Konstruktion früh futurische Bedeutung an: *jâ wirt ir dienende vil manic wætlîcher man* (Nibelungenlied, – zahlreiche mhd. Belege bei *Saltveit,* 181–184). In ahd. Zeit findet sich kein einwandfreier Beleg der Konstruktion *werden* + Inf. (*Saltveit, 185–189*), im Mhd. ist das Präsens von *werden* + Inf. zur Bezeichnung des Zukünftigen noch sehr selten (*Schröbler,* 363). *M. Kleiner* (F5c) hat die Variation der Konstruktionen *werden* + Part. Präs. und *werden* + Inf. im alemannischen Raum gründlich untersucht. *Werden* + Inf. kommt erst im 13. Jh. vor, noch im 14. Jh. ist *werden* + Part. Präs. bei weitem die geläufigere Konstruktion. *Werden* + Part. Präs. wird durch *werden* + Inf. im Alemannischen in der Zeit von 1375–1450 verdrängt; die neue Konstruktion dringt von Osten nach Westen vor (*Kleiner,* 81, 89, 92).

Die Entwicklung der Periphrase *werden* + Inf. ist umstritten. Da diese Form im Ahd. sehr selten, im Mhd. noch viel seltener als *werden* + Part. Präs. erscheint, wird gewöhnlich angenommen, daß die

Konstruktion mit Inf. aus der mit Part. Präs. hervorgegangen ist. Die Entstehung der Umschreibung mit Inf. wird als rein lautliche Entwicklung – die Abschleifung der Partizipialendung *ende* > *enne* > *ene* > *en; ende* > *end* > *en* – (vgl. *Behaghel*, II, 262 f.; Berichtigung: *Saltveit*, F5c, »Studien«, 248), als Analogiewirkung nach der semantisch verwandten Konstruktion *sollen/wollen* + Inf. (z.B. *Naumann*, D, 117; ähnlich *Wilmanns*, III, 177) oder als Ergebnis von beiden (*Dal*, 132) gesehen. *I. Dal* (»Untersuchungen«, 202) weist darauf hin, daß im Mhd. das Part. Präs. mit der dem Inf. gleich lautenden reduzierten Endung *-en* erscheinen konnte. In attributiver Stellung konnte kein Synkretismus zwischen Inf. und Part. Präs. eintreten, weil der Inf. in solcher Stellung nie erschien, in den Parallelfügungen *ich will geben* und *ich werde geben(de)* dagegen trat Synkretismus ein und die Indifferenzform *geben* wurde dann der Infinitivkategorie zugeordnet. *L. Saltveit*, der besonderen Wert auf die wenigen ahd. und frühmhd. Belege der Fügung *werden* + Inf. legt, hält diese für eine ursprüngliche Konstruktion, die von der Konstruktion mit Part. Präs. unabhängig war. Dieser Hypothese scheint jedoch zu widersprechen, daß der Infinitiv etwa gleichzeitig in die parallele Konstruktion *sein* + Part. Präs eindringt (DWb XIV, 1. Abt., 2. Teil, 250).

Die Periphrase *werden* + Inf. hatte noch im 14. und 15. Jh. ingressiven Charakter und wurde häufig im Präteritum gebraucht *(er ward klagen)*. Erst um die Mitte des 16. Jhs. geschieht die Grammatikalisierung von *werden* + Inf., als die Konstruktion regelmäßig als Futurum gebraucht wird und nicht mehr mit der Opposition Präsens ~ Präteritum *(er wird/ward klagen)* vereinbar ist (*Oubouzar*, F5a, »Ausbildung«, 85 f.).

3.5.3. Die Passivperiphrasen

In den letzten Jahrzehnten ist die Diskussion über das Wesen der passiven Diathese überhaupt und über die Formen des »Passivs« im älteren Deutsch neu belebt worden. Im Germ. ist das idg. synthetische Mediopassiv nur in Formen des got. Indikativ und Konjunktiv Präsens bewahrt. In allen germ. Sprachen haben sich periphrastische Passivformen mit **wesan* und **werþan* + Part. Prät. entwickelt. Während früher versucht wurde, die ahd. Passivformen in den vorgegebenen Rahmen des lat. Formensystems einzuordnen, haben *W. Schröder* (F7) und *H. Rupp* (F7) die Passivumschreibung im Rahmen der ahd. verbalen Kategorien analysiert. *Rupp* hebt den stark nominalen Charakter des Part. Prät. hervor, das als Verbaladjektiv ahd. noch flektiert erscheinen konnte. Wie in der aktivischen Perfekt-

61

umschreibung *ich bin gekommen* (= ›ich bin ein Gekommener‹)
drückt nach *Rupp* das deutsche Part. Prät. in der Passivperiphrase
die »Verfassung« eines Subjekts aus, in die es durch irgendeinen
Vorgang gekommen ist: ahd. *wirdit arslagan* bedeutet ›er wird ein
Erschlagener‹. Das Part. Prät. unterscheidet sich vom Adjektiv nur
dadurch, »daß der Vorgang, der zu der im Part. ausgedrückten Verfassung führte, noch mitgehört wird, während das Adjektiv diesen
Bezug nicht kennt (*Rupp*, 268)«. Im allgemeinen scheint sich die
Verteilung der Verben *wesan* und *werdan* nach der aspektuellen
Opposition zwischen einem bestehenden Zustand (*wesan* + Part.
Prät.) und dem Übergang in einen Zustand (*werdan* + Part. Prät.)
gerichtet zu haben. Zur Deutung der Formen in den verschiedenen
ahd. Denkmälern sei auf *Rupp, Schröder, Zadorožny* (F7) und *Oubouzar* (F5a, »Ausbildung«, 18–20) hingewiesen. Auch im Mhd.
scheinen die Formen *sîn/werden* + Part. Prät. vorwiegend nach
aspektuellen Gesichtspunkten verwendet zu werden *(Oubouzar,*
31 f.); vgl. *Schröbler:* »die Verbindung von *sîn* mit dem Part. Prät.
bezeichnet vornehmlich, nicht ausschließlich, das Zustandspassi-
vum, die Verbindung von *werden* mit dem Part. Prät. bezeichnet das
Vorgangspassivum. Die temporale Differenzierung, besonders im
Bereiche der Vergangenheit, tritt, verglichen mit dem Nhd. und dem
Lat., hinter dieser Unterscheidung zurück (386)«.

Ein Zeichen für die Eingliederung des Passivs in das Tempussy-
stem ist die Entwicklung passivischer Perfekt- und Futurumschrei-
bungen. Der erste sichere Beleg der Periphrase *ist . . . worden* findet
sich bei Wolfram: *daz Gahmuret geprîset vil was worden* (Parzival).
Diese Form sowie die ungefähr zu gleicher Zeit auftretenden, ent-
sprechenden Formen des *sîn*-Passivs *(ist . . . gewesen, was . . . gewesen)* sind im 13. Jh. noch vereinzelt (Belege bei *Schröbler,* 388 f.).
Der Gebrauch von *ist . . . worden* breitet sich im 14. und 15. Jh. aus,
doch zu dieser Zeit und noch im 16. Jh. war *sîn/sein* + Part. Prät. zur
Bezeichnung eines vollzogenen Vorgangs gebräuchlich: *Von der Bi-
schofen Gewalt ist vor Zeiten viel und mancherlei geschrieben (Brinker,* F7, 177, dazu auch *Schröbler,* 389; *Oubouzar,* 60–63). Im 16.
Jh. treten auch Formen des Futurs des Passivs auf (*wird getan werden,* usw., *Oubouzar,* 88). Nach *Oubouzar* wird die Form *ist . . .
worden* im 17. Jh. in das System eingegliedert, nachdem *sein* + Part.
Prät. nicht mehr zum Ausdruck eines vollzogenen Vorgangs gebraucht wird und Präsens- und Präteritalformen von *werden* + Part.
Prät. kursiv verwendet werden: *J. Reuchlin, der damals für einen
. . . gelehrten Mann gehalten ward* (Mitte des 16. Jhs. – aus *Oubouzar,* 67). Das Passiv wird nun wie das Aktiv durch die Phasenopposition unvollzogen ~ vollzogen charakterisiert; *sein* + Part. Prät.

drückt einen Zustand des Subjekts aus und wird von *Oubouzar,* die die übliche Einteilung in Vorgangs- und Zustandspassiv nicht befolgt, nicht zum Verbsystem gerechnet. Nach dieser Darstellung wird die alte aspektuelle Opposition zwischen einem Zustand (*sein* + Part. Prät.) und dem Eintritt in einen Zustand (*werden* + Part. Prät.) durch die Phasenopposition abgelöst (*Oubouzar,* 72).

Ein schönes Beispiel der Grammatikalisierung bietet das *bekommen/erhalten/kriegen*-Passiv im Nhd.. Obwohl die Entwicklung der Konstruktion noch nicht gründlich erforscht ist, kann man die verschiedenen Stufen der Entwicklung von der heutigen Variation der Konstruktion ablesen. In der Schriftsprache kommen folgende Typen vor:

Typ I – Das Miniaturspiel hatte Bernie von Helmut Arlt geschenkt bekommen; denn sie waren erstaunt, ihre Beiträge zurückgesandt zu erhalten; meistens mußte ich den Blumenstrauß, den ich auf die Bühne gereicht bekam, selbst bezahlen (aus *K. Brinker,* »Das Passiv im heutigen Dt.«, München, Düsseldorf, 1971, 119).

Typ II – . . . als ich, nach 1949, von einem Hollander geschrieben erhielt, daß der dortige Verleger . . . unterging (*Brinker*, 119); der mißtraurische [!] Blinde, der gewiß jedes seiner Worte wiedererzählt bekam (*Wellander*, C, 139).

Es ist sinnvoll, solche Sätze als Passivvarianten zu behandelt, denn (1) sie werden nur von passivfähigen Verben gebildet, (2) das Agens wird in der für das *werden*-Passiv charakteristischen Weise durch *von, durch,* usw. + Nominalphrase ausgedrückt, (3) zu jeder dieser Konstruktionen existiert eine semantisch gleichwertige Paraphrase mit *werden* + Part. Prät. (*M. Reis,* »Zum grammatischen Status der Hilfsverben«, in: PBB(T) 98 (1976), 72). Zu den Einschränkungen des *bekommen*-Passivs gehört, daß es in der Regel nur von Verben gebildet wird, die den Dativ regieren können. Typ I ist die ältere Konstruktion. In einem Beispiel wie *Der kleine Hans bekam das Spielzeug geschenkt* wird *das Spielzeug* als Objekt zu *bekommen* sowie zu *geschenkt* verstanden. Die Bedeutung von *bekommen* wird bewahrt, das Subjekt *erhält* tatsächlich etwas. *Der kleine Hans* ist identisch mit dem in der Oberflächenstruktur fehlenden Dativobjekt von *schenken*. In den Typ-II-Sätzen ist das Wesentliche der Bedeutung ›erhalten‹ schon verloren und es gelten nicht mehr die Selektionsbeschränkungen zwischen *bekommen* usw. und dem Akkusativobjekt: es kann z. B. kein *daß*-Satz als Objekt von *erhalten* fungieren (vgl. *als ich . . . von einem Holländer geschrieben erhielt, daß . . .*). Aus dem umgangssprachlichen und informalen Gebrauch führt *M. Reis* (71) zwei weitere Typen auf:

Typ III – Der Bub bekommt/kriegt das Spielzeug weggenommen; der Betrunkene bekam/kriegte sofort die Fahrerlaubnis entzogen.

Typ IV – Hans bekam/kriegte von uns geholfen/geschmeichelt/gekündigt/vorgelesen; Hans bekam/kriegte gönnerhaft auf die Schulter geklopft.

In Typ III entsteht eine widersprüchliche Semantik; gegen diese Konstruktion ist schon *T. Matthias* (»Sprachleben und Sprachschäden«, 5. Aufl. Leipzig: Brandstetter 1921, 123 – »sonst wird er das Stipendium entzogen bekommen«) zu Feld gezogen. In Typ IV ist das beim Vollverb *bekommen/kriegen* obligatorische Akkusativobjekt verschwunden. »Es hat sich also deutlich Reanalysis vollzogen: *bekommen/kriegen/(erhalten)*-Fügungen mit Part. II werden als Variante des Passivs aufgefaßt, offenbar mit dem spezialisierten Zweck, Dativ-Objekte in Nominativ-Subjekte überzuführen. Verbunden damit wird *bekommen/kriegen/(erhalten)* immer mehr ›auxiliarisiert‹ (*Reis*, 73).« Das Verb *bekommen* verliert seine eigentliche Bedeutung (Typ II, III) wie auch seine ursprüngliche Valenz und seine ursprünglichen Selektionsbeschränkungen; die Ergänzungen werden als abhängig vom Partizip aufgefaßt. Die Konstruktion nähert sich nun syntaktisch wie semantisch dem auxiliaren *werden*-Passiv: *Dem Betrunkenen wurde sofort die Fahrerlaubnis entzogen; dem Hans wird von uns geholfen*. Völlig auxiliarisiert sind *bekommen* usw. jedoch nicht, denn nur belebte Subjekte werden zugelassen; vgl. **Der Plan bekam die notwendige Unterstützung nicht versagt* gegenüber der grammatischen *werden*-Umschreibung *dem Plan wurde die notwendige Unterstützung nicht versagt*. Die heutige synchrone Variation im schriftsprachlichen, umgangssprachlichen und individuellen Gebrauch widerspiegelt die allmähliche Auxiliarisierung von *bekommen*, usw. in dieser passivähnlichen Konstruktion.

4. Bibliographie

Übersicht

A. Zum Sprachwandel
A1. Allgemeines, Sammelwerke
A2. Synchronie/Diachronie

B. Erklärung und Methode
B1. Methodische Probleme älterer
Sprachstufen
B2. Rekonstruktion der Syntax
B3. Zur Erklärung

C. Zum Syntaxwandel

D. Historische Darstellungen der
deutschen Syntax

E. Synchronische Darstellungen
älterer Sprachstufen
E1. Das Indogermanische
E2. Das Germanische
E3. Das Althochdeutsche
E4. Das Mittelhochdeutsche
E5. Das Frühneuhochdeutsche
E6. Entwicklungstendenzen des
heutigen Deutsch

F. Das Verb.
F1. Allgemeines
F2. Tempus
F3. Aspekt/Aktionsart
F4. Das Präfix *ga-/ge-
F5. Periphrastische Verbalformen
F5a. Allgemeines
F5b. Die Perfektperiphrase
F5c. Die Futurperiphrase
F5d. Andere periphrastische Ver-
balformen
F6. Modus: Konjunktiv, Imperativ
F7. Aktiv/Passiv
F8. Der Infinitiv
F9. Das Partizip
F10. Impersonalia

G. Das Nomen
G1. Allgemeines

G2. Kasus
G3. Pronomina
G4. Der Artikel

H. Das Adjektiv

I. Adverbien und Partikeln

J. Präpositionen

K. Negation

L. Satzverbindung, Einbettung
L1. Hypotaxe/Parataxe, Probleme
des zusammengesetzten Satzes
L2. Die Konstruktion ἀπὸ κοινοῦ

M. Der Nebensatz

N. Der Relativsatz

O. Wortstellung
O1. Historische Darstellungen
O2. Zum Indogermanischen und
Germanischen
O3. Zum Althochdeutschen, Mit-
telhochdeutschen, Frühneuhoch-
deutschen
O4. Wortstellung in der Nominal-
gruppe
O5. Auslassung des Hilfsverbs im
Nebensatz

A. Zum Sprachwandel

A1. Allgemeines, Sammelwerke

Andersen, H. Abductive and deductive change, in: Lg 49 (1973), 765–793. *Best,* K.-H. Probleme der Analogieforschung. München: Hueber 1973. *Bever,* T. G., J. M. *Carroll* und R. *Hurtig.* Analogy or ungrammatical sequences that are utterable and comprehensible are the origins of new grammars in language acquisition and linguistic evolution, in: T. G. Bever et al (Hrsg.), An integrated theory of linguistic ability. New York: Crowell 1976, 149–182. *Blümel,* W. Bibliographie zur historischen Sprachwissenschaft und generativen Grammatik, in: TMD, 97–102. Ders. Historische Sprachwissenschaft im Rahmen der generativen Grammatik?, in: TMD, 93–96. *Cherubim,* D. Sprachwandel, Individuum und Gesellschaft (Thesen), in: Historizität, 365–373. Ders. Einleitung, in: Sprachwandel, 1–61 (mit ausführlicher Bibliographie). Christie, W. A stratificational view of linguistic change. Diss. Yale 1973. Coetsem, F. van. Remarks concerning the generative model of language achange, in: LB 64 (1975), 273–291. Jespersen, O. Efficiency in linguistic change. Det Kgl. Danske Videnskabernes Selskab, hist.-fil. Meddelelser 27,4. Kopenhagen: Munksgaard 1941. King, R. Historical linguistics and generative grammar. Englewood Cliffs, N.J.: Prentice-Hall 1969; dazu O. Robinson und F. van Coetsem, Lingua 31 (1973), 331–369; dt. Fassung, Historische Linguistik und generative Grammatik. Übers. v. S. Stelzer. Frankfurt: Athenäum 1971. Kiparsky, P. Linguistic universals and linguistic change, in: E. Bach und R. Harms (Hrsg.), Universals in linguistic theory. New York: Holt, Rinehart and Winston 1968, 170–202; dt. Fassung u. d. T. Linguistische Universalien und Sprachwandel, in: Zur Theorie, 215–264; auch als Sprachuniversalien und Sprachwandel, in: Sprachwandel, 237–275. Kurylowicz, J. La nature des procès dits »analogiques«, in: Acta Linguistica 5 (1945–49), 15–37; Neudruck in J. K. Esquisses linguistiques, Wrocław 1960; München: Fink 1973, 66–86; auch in E. Hamp et al (Hrsg.) Readings in Linguistics II. Chicago: University of Chicago Press, 158–174. Labov, W. The social setting of linguistic change, in: Current Trends 11, 195–251. Ders. On the use of the present to explain the past, in: L. Heilmann (Hrsg.), Proceedings of the XIth International Congress of Linguists (1972). Bd. II. Bologna: il Mulino, 825–851. Lehmann, W. P. Historiolinguistik, in: LGL, 389–398. Malkiel, Y. General diachronic linguistics, in: Current Trends 9, 82–118. Mańczak, W. Tendances générales des changements analogiques, in: Lingua 7 (1957–58), 298–325, 387–420. Nöth, W. Perspektiven der diachronen Linguistik, in: Lingua 33 (1974), 199–233 (Forschungsbericht). Paul, H. Prinzipien der Sprachgeschichte. 8. Aufl. Tübingen: Niemeyer 1968. Rz. v. S. Kanngießer, IF 78 (1973), 217–225. Quasthoff, U. ›Homogenität‹ versus ›Heterogenität‹ als Problem einer historischen Sprachwissenschaft, in: V. Ehrich und P. Finke (Hrsg.), Beiträge zur Grammatik und Pragmatik. Kronberg: Skriptor 1975, 1–21. Ramge, H. Zum Verhältnis von historischem Sprachwandel und der Sprachentwicklung des Kindes, in: G. Bellmann et al (Hrsg.), Festschrift für K. Bischoff. Köln: Böhlau 1975, 190–216. Samuels, M. Linguistic evolution. Cambridge: Cambridge University Press 1972. Weinreich, U., W. Labov und M. Herzog. Empirical foundations for a theory of language change, in: W. P. Lehmann und Y. Malkiel (Hrsg.), Directions for historical linguistics. Austin: University of Texas Press, 95-195. Wolf, H. Sprachwandel in soziologischer Sicht, in: GermL 1 (1970), 696–716. Zur Theorie der Sprachveränderung. Hrsg. v. G. Dinser. Kronberg: Scriptor 1974.

A2. Synchronie/Diachronie

Birnbaum, H. On reconstruction and prediction: Two correlates of diachrony in genetic and typological linguistics, in: FoL 2 (1968), 1–17. Coseriu, E. Sistema, norma y habla, in: E. C. Teoría del lenguaje y lingüística general. Madrid: Gredos 1962, 11–113. Ders. Synchronie, Diachronie und Typologie, in: E. C. Sprache, Strukturen und Funktionen. Hrsg. v. U. Petersen. Tübingen: Tübinger Beiträge zur Linguistik 2, 1970, 71–88; abgedruckt in:

Sprachwandel, 135–149; Original: Sincronía, diacronía y tipología, in: Actas del XI Congreso Internacional de Lingüística y Filología Románicas, Bd. I. Madrid: Revista de Filología Española, 86, 1968, 269–283. Ders. Synchronie, Diachronie und Geschichte. Übers. v. H. Sohre. München: Fink 1974; Original: Sincronía, diacronía e historia. Montevideo 1958; Neudruck Tübingen 1969. *Godel,* R. F. de Saussures theory of language, in: Current Trends 3, 479–493. *Hildenbrandt,* E. Versuch einer Analyse des ›Cours de linguistique générale‹ von F. de Saussure. Marburg: Elwert 1972. *Hoenigswald,* H. Language change and linguistic reconstruction. Chicago: University of Chicago Press 1960. *Kanngießer,* S. Aspekte der synchronen und diachronen Linguistik. Tübingen: Niemeyer 1972. Ders. Ansätze zu einer Theorie von Synchronie und Diachronie, in: Linguistics 101 (1973), 5–71. *Koerner,* E. F. K. Bibliographia Saussureana 1870–1970. Metuchen, N. J.: The Scarecrow Press 1972. Ders. Ferdinand de Saussure. Braunschweig: Vieweg 1973. *Lieb,* H.-H. Sprachstadium und Sprachsystem. Stuttgart: Kohlhammer 1970. Rz. v. K. *Heger,* in: ZRPh 87 (1971), 550–560. Rz. v. H. *Schnelle,* in: FL 11 (1974), 595–606. *Saussure,* F. de. Cours de linguistique générale. Édition critique par R. Engler. Wiesbaden: Harassowitz 1967 ff. Ders. Cours de linguistique générale. Hrsg. v. T. de Mauro. Paris: Payot 1972. Dt. Fassung: Grundfragen der allgemeinen Sprachwissenschaft. Übers. v. H. Lommel. 2. Aufl. Berlin: de Gruyter 1967. *Seebold,* E. Ist die Gliederung der Sprachwissenschaft in einen synchronischen und einen diachronischen Zweig angemessen?, in: TMD, 19–24. Sprache. Gegenwart und Geschichte. Hrsg. v. H. Moser. Düsseldorf: Schwann 1969 (besonders die Beiträge von K. *Baumgärtner* und E. *Zwirner*). *Telegdi,* Z. Struktur und Geschichte: Zur Auffassung ihres Verhältnisses in der Sprachwissenschaft. ALH 17 (1967), 223–243. *Wartburg,* W. von. Das Ineinandergreifen von deskriptiver und historischer Sprachwissenschaft, in: BerL 83 (1931), 1–23; abgedruckt in: Sprachwandel, 99–115. *Wells,* R. De Saussure's system of linguistics, in: Word 3 (1947), 1–31.

B. Erklärung und Methode

B1. Methodische Probleme älterer Sprachstufen

Greule, A. Valenz und historische Grammatik, in: ZGL 1 (1973), 284–294. *Hofmann,* D. Sprachimmanente Methodenorientierung – Sprachtranszendente »Objektorientierung«. Zum heutigen Unterschied zwischen Linguistik und Philologie, in: ZDL 40 (1973), 295–310 (zu *van de Velde,* B1, Zur Grundlegung). *Labov,* W. Methodology, in: W. Dingwall (Hrsg.), A survey of linguistic science. College Park, Maryland: Linguistics Program, University of Maryland 1971. *Penzl,* H. Methoden der germanischen Linguistik. Tübingen: Niemeyer 1972. *Pürainen,* I. T. Generative Modelle in der Diachronie, in: FoL 4 (1970), 32–37. *Rohde,* W. Überlegungen zur Syntaxtheorie mit besonderer Berücksichtigung eines alten Textes. Hamburg: Lüdke 1971. Rz. v. K. *Matzel,* in: BNF 8 (1973), 54–59. *Velde,* R. van de. Zur deskriptiven Adäquatheit der Linguistik älterer Sprachstufen, in: FoL 4 (1970), 125–134. Ders. Generative Grammatik und Heuristik, in: FoL 5 (1971),

44–54. Ders. Zur Grundlegung einer linguistischen Methodik, gezeigt am Beispiel der altfriesischen Syntax. München: Hueber 1971.

B2. Rekonstruktion der Syntax

Collinge, N. Some reflexions on comparative historical syntax, in: ArchL 12 (1960), 79–101; abgedruckt in: N. C. Collectanea linguistica. Den Haag: Mouton 1970, 102–127. *Gulstad,* D. Reconstruction in syntax, in: Historical Linguistics. Bd. I, 117–155. *Jeffers,* R. Syntactic change and syntactic reconstruction, in: Current Progress, 1–16. *Kahane,* H. Principles of comparative syntax, in: Orbis 3 (1954), 513–516. *Lehmann,* W. P. The comparative method as applied to the syntactic component of language, in: CJL 17 (1972), 167–174. *Meillet,* A. Convergence des développements linguistique, in: Revue philosophique 85 (1918), 97–110; abgedruckt in: A. M. Linguistique historique et linguistique générale. Paris: Champion 1965, 61–75. *Watkins,* C. Towards Proto-Indo-European syntax. Problems and pseudoproblems, in: Dia Syn, 305–326.

B3. Zur Erklärung.

Anttila, R. The reconstruction of *Sprachgefühl:* a concrete abstract, in: Current Progress, 215–234. *Bloomfield,* L. Rz. zu W. Havers, Handbuch der erklärenden Syntax, in: Lg. 10 (1934), 32–40. *Chen,* M. Predictive power in phonological description, in: Lingua 32 (1973), 173–191. *Jeffers,* R. On the notion ›explanation‹ in historical linguistics, in: Historical linguistics, Bd. II, 231–255. *Kolde,* G. Einige Bemerkungen zur Verwendung der Prädikate BESCHREIBEN und ERKLÄREN in der Linguistik, in: IF 78 (1973), 1–20. *Lerchner,* G. Die Anwendbarkeit der Kausalitätsrelation in der diachronischen Sprachwissenschaft, in: ZPSK 26 (1973), 342–354. *Stegmüller,* W. Wissenschaftliche Erklärung und Begründung. Berlin: Springer 1969.

C. Zum Syntaxwandel

Ard, W. J. Raising and word order in diachronic syntax. Bloomington: Indiana Linguistics Club 1977. *Bever,* T. G. und D. T. *Langendoen.* The interaction of speech perception and grammatical structure in the evolution of language, in: R. Stockwell und R. Macauley (Hrsg.). Linguistic change and generative theory. Bloomington: Indiana University Press 1972, 32–95; eine frühere Fassung erschien als: A dynamic model of the evolution of language, in: LIn 2 (1970), 433–463. *Closs,* E. (= Traugott, E. C.) Diachronic syntax and generative grammar. in: Lg 41 (1965), 402–415. *Dorian,* N. Grammatical change in a dying dialect, in: Lg 49 (1973), 413–438. *Ebert,* R. P. Introduction, in: Dia Syn, vii-xviii. *Givón,* T. Historical syntax and synchronic morphology: an archaeologist's field trip, in: CLS 7, 394–415. *Hausmann,* R. The origin and development of modern English periphrastic *do,* in Historical linguistics, Bd. I, 159–189. *Havers,* W. Handbuch der erklärenden Syntax. Heidelberg: Winter 1931. *Isenberg,* H. Diachronische Syntax und die logische Struktur einer Theorie des Sprachwandels, in: Studia Grammatica 5. Berlin: Akademie-Verlag 1965, 133–168. *Jarceva,* V. N. K voprosu ob innovcijach v oblasti sintaksisa (Zur Frage syntaktischer Innovationen), in: Voprosy germanskogo jazykoznanija. Moskau, Leningrad: Akad. nauk SSSR, Institut jazykoznanija, 1961, 88–99. *Klein*, W. Eine Theorie der Wortstellungsveränderungen, in: LBer 37 (1975), 46–57 (zu *Vennemann*). *Klima*, E. Relatedness between grammatical systems, in: Lg 40 (1964), 1–20. Ders. Studies in diachronic transformational syntax. Diss. Harvard 1965. *Koch*, M. A demystification of syntactic drift, in: Montreal working papers in linguistics 3 (1974), 63–114. *Lakoff*, R. Abstract syntax and Latin complementation. Cambridge, Mass.: MIT Press 1969 (besonders Kap. 6). *Li*, C. N. Synchrony vs. diachrony in language structure, in: Lg 51 (1975), 873–886. *Li*, C. N. und S. *Thompson*. Historical change and word order: a case study in Chinese and its implications, in: Historical linguistics, Bd. I, 199–217; auch als: An explanation of word order change SVO → SOV, in: FL 12 (1974), 201–214. *Lightfoot*. D. The diachronic analysis of English modals, in: Historical linguistics, Bd. I, 219–249. Ders. Diachronic syntax: extraposition and deep structure reanalysis, in: FoL 9 (1976), 197–214. *Meillet*, A. L'évolution des formes grammaticales, in: A. M. Linguistique historique et linguistique générale, Bd. I. Paris: Champion 1965, 130–148. *Naro*, A. The genesis of the reflexive impersonal in Portuguese, in: Lg 52 (1976), 779–810. Papers from the parasession on diachronic syntax. Hrsg. v. S. Steever et al. Chicago: Chicago Linguistic Society 1976 (zahlreiche Beiträge zum Syntaxwandel). *Parker*, F. Language change and the passive voice, in: Lg 52 (1976), 449–460. *Paul*, H. Über Kontamination auf syntaktischem Gebiete, in: Sitzungsberichte der Bayerischen Akademie der Wissenschaften. Philosophisch-philologische und historische Klasse. 1912, 2. *Reighard*, J. Some observations on syntactic change in verbs, in: CLS 7, 511–518. Ders. Variable rules in historical syntax, in: Historical linguistics, Bd. I, 251–262. *Traugott*, E. C. On the notion ›restructuring‹ in historical syntax, in: L. Heilmann (Hrsg.), Proceedings of the XIth International Congress of Linguists, Bd. I. Bologna: il Mulino 1974, 921–928. Dies. Toward a grammar of syntactic change, in: Lingua 23 (1969), 1–27. *T'sou*, B. Reordering in diachronic syntax, in: CLS 8, 591–606. Ders. Studies in the phylogenesis of questions and diachronic syntax. Diss. Berkeley 1972. *Vennemann*, T. Topics, subjects and word order. From SXV to SVX via TVX, in: Historical linguistics, 339–376; dt. Fassung u. d. T. Zur Theorie der Wortstellungsveränderungen: Von SXV zu SVX über TVX, in: Zur Theorie, 265–314. *Wackernagel*, J. Vorlesungen über Syntax mit besonderer Berücksichtigung von Griechisch, Lateinisch und Deutsch. 1. Reihe 1920. 2. Reihe 1924. Basel: Birkhäuser. *Weisgerber*, L. Verschiebungen in der sprachlichen Einschätzung von Menschen und Sachen. Köln: Westdeutscher Verlag 1958. *Wellander*, E. Zur Frage über das Entstehen der grammatischen Formen, in: SNPh 36 (1964), 127–150. *Wittmann*, H. Recent developments in diachronic linguistics, in: Linguistics 65 (1971), 90–101 (zu *Isenberg*). Word order and word order change. Hrsg. v. C. N. Li. Austin: University of Texas Press 1974 (mehrere Beiträge zu Wortstellungsveränderungen). *Yngve*, V. Depth and the historical change of the English genitive, in: JEL 9 (1975), 47–57.

D. Historische Darstellungen der deutschen Syntax

Admoni, V. G. Istoričeskij sintaksis nemeckogo jazyka (Historische Syntax der deutschen Sprache). Moskau: »Vysšaja škola« 1963. *Behaghel*, O. Deutsche Syntax. Eine geschichtliche Darstellung. 4 Bde. Heidelberg: Winter 1923–32. *Blatz*, F. Neuhochdeutsche Grammatik mit Berücksichtigung der historischen Entwickelung der deutschen Sprache. 3. Aufl. Bd. II, Satzlehre. Karlsruhe: Lang 1896. *Dal*, I. Kurze deutsche Syntax auf historischer Grundlage. 3. Aufl. Tübingen: Niemeyer 1966. *Erdmann*, O. Grundzüge der deutschen Syntax. Bd. I. Stuttgart: Cotta 1886; Bd. II bearbeitet von O. Mensing 1897. *Grimm*, J. Deutsche Grammatik (die Syntax in Bd. IV). Göttingen: Dieterische Buchhandlung 1837; Abdruck durch G. Roethe, Gütersloh: Bertelsmann 1898; Nachdruck Hildesheim: Olms 1967. *Koenraads*, W. Studien über sprachökonomische Entwicklungen im Deutschen. Amsterdam: Meulenhoff 1953; Satzlehre 92–176. *Lockwood*, W. B. Historical German syntax. Oxford: Oxford University Press 1968. *Naumann*, H. Kurze historische Syntax der deutschen Sprache. Straßburg: Trübner 1915. *Paul*, H. Deutsche Grammatik. 5 Bde. Halle: Niemeyer 1916–1920 (die Syntax in Bd. III und IV); Nachdruck Tübingen: Niemeyer 1968. Ders. Kurze deutsche Grammatik auf Grund der fünfbändigen deutschen Grammatik von H. P.; bearbeitet von H. Stolte. 3. Aufl. Tübingen: Niemeyer 1962. *Plate*. R. Zur historischen und psychologischen Vertiefung der deutschen Schulsyntax. München: Hueber 1935 (346 Konstruktionen und Formen mit historischer Erklärung). *Polenz*, P. von. Geschichte der deutschen Sprache. 8. Aufl. Berlin: de Gruyter 1972 (Syntax *passim*). *Sommer*, F. Vergleichende Syntax der Schulsprachen. (Deutsch, Englisch, Französisch, Griechisch, Lateinisch) mit besonderer Berücksichtigung des Deutschen. 3. Aufl. Leipzig: Teubner 1931; Nachdruck Darmstadt: Wissenschaftliche Buchgesellschaft 1971. *Tschirch*, F. Geschichte der deutschen Sprache. 2 Bde. Berlin: Schmidt 1966, 1969 (Syntax *passim*). *Wilmanns*, W. Deutsche Grammatik. Gotisch, Alt-, Mittel- und Neuhochdeutsch. Straßburg: Trübner. 1. Aufl. 1893–96, 2. Aufl. 1897–1909 (Syntaktisches in Bd. III/1 und III/2); Neudruck Berlin: de Gruyter 1922. *Wunderlich*, H. Der deutsche Satzbau. 1. Aufl. 1892, 2. Aufl. 1901, 2 Bde.; 3. Aufl. 1924 bearbeitet von H. Reis, 2. Bde. Stuttgart: Cotta.

E. Synchronische Darstellungen älterer Sprachstufen

E1. Das Indogermanische

Bednarczuk, L. Indo-European parataxis. Krakow: Wydawnictwo Naukowe. Wyższej Szkoły Pedagogiznej 1971 (Überblick, 7–12). *Delbrück*, B. Vergleichende Syntax der idg. Sprachen. Teil I 1893, Teil II 1897, Teil III 1900. Straßburg: Trübner (= K. Brugmann u. B. Delbrück. Grundriß der vergleichenden Grammatik der idg. Sprachen, Bd. III-V). *Dressler*, W. Über die Rekonstruktion der idg. Syntax, in: KZ 85 (1971), 5–22. *Friedrich*, P. Proto-Indo-European syntax. o.O.: Journal of Indo-European Studies Monograph 1, 1975. *Hirt*, H. Idg. Grammatik. Teil VI, Syntax I; Teil VII, Syntax II. Heidelberg: Winter 1934, 1937. *Krahe*, H. Grundzüge der vergleichenden Syntax der idg. Sprachen. Hrsg. v. W. Meid und H. Schmeja. Innsbruck: Innsbrucker Beiträge zur Sprachwissenschaft, 1972. *Kuryłowicz*, J. The inflectional categories of Indo-European. Heidelberg: Winter 1964. *Lehmann*, W. P. Proto-Indo-European syntax. Austin: University of Texas Press 1974.

E2. *Das Germanische*
Hirt, H. Handbuch des Urgerm.. Teil III, Abriß der Syntax. Heidelberg: Winter 1934. *Hopper*, P. The syntax of the simple sentence in Proto-Germanic. Den Haag: Mouton 1975. *Lehmann*, W. P. Proto-Germanic syntax, in: F. van Coetsem und H. Kufner (Hrsg.), Toward a grammar of Proto-Germanic. Tübingen: Niemeyer 1972, 239–268. *Meillet*, A. Caractères généraux des langues Germaniques. Paris: Hachette 1917; engl. Übersetzung: General characteristics of the Germanic languages. Coral Gables, Florida: University of Miami Press 1970 (Syntaktisches *passim*). *Neckel*, G. Germ. Syntax, in: APhS 1 (1930), 1–23; abgedruckt in: G. N. Vom Germanentum. Leipzig: Harassowitz 1944, 475–496. Ders. Zur germ. Syntax, in: APhS 8 (1933), 156-172; abgedruckt in: G. N. Vom Germanentum, 497–512. *Werth*, R. The problem of a Germanic sentence prototype, in: Lingua 26 (1970–71), 25–34.

E3. *Das Althochdeutsche*
Brinkmann, H. Sprachwandel und Sprachbewegungen in ahd. Zeit. Jena: Fromann 1931; abgedruckt in: H. B. Studien zur Geschichte der dt. Sprache und Literatur, Bd. I. Düsseldorf: Schwann 1965, 9–236. *Erdmann*, O. Untersuchungen über die Syntax der Sprache Otfrids. 2 Bde. Halle: Buchhandlung des Waisenhauses 1874, 1876; Nachdruck Hildesheim: Olms 1973. *Juntune*, T. Comparative syntax of the verb phrase in OHG and Old Saxon. Diss. Princeton 1968. *King*, J. Two dualisms in the syntax of Notker Teutonicus. Diss. George Washington University 1954. *Lippert*, J. Beiträge zu Technik und Syntax ahd. Übersetzungen. München: Fink 1974. *Plant*, H. Zur Bestimmung von Wortart und Satzglied in ahd. Prosa, in: Orbis 14 (1965), 487–495. Ders. Syntaktische Studien zu den Monseer Fragmenten. Den Haag: Mouton 1969; dazu W. *Abraham*, in: Kratylos 14 (1969), 73–78. *Sonderegger*, S. in: Kurzer Grundriß, 329–336. Ders. Ahd., in: LGL, 408–409. Ders. Ahd. Sprache und Literatur. Berlin: de Gruyter 1974, 237–246.

E4. *Das Mittelhochdeutsche*
Eilers, H. Untersuchungen zum fruhmhd. Sprachstil am Beispiel der »Kaiserchronik«. Göppingen: Kümmerle 1972. *Eshelmann*, T. Syntaktische Studien zur Augsburger Urkundensprache des 13. Jhs.. Diss. Cincinnati 1961. *Guth*, J. Syntaktische Bemerkungen zum Meier Helmbrecht. Diss. Wien 1950 (Masch.). *Heringer*, H.-J. Konversen in der mhd. Urkundensprache. ZDS 24 (1968), 122–126. *Michels*, V. Mhd. Elementarbuch. 3. Aufl. Heidelberg: Winter 1921 (Satzlehre, 233–282). *Paul*, H. Mhd. Grammatik. 20. Aufl. Syntax von I. Schröbler. Tübingen: Niemeyer 1969, 21. Aufl. 1975; 13.–19. Aufl. Syntax von O. Behaghel; 2.-12. Aufl. Syntax von H. Paul. *Rohde*, W. Überlegungen zur Syntaxtheorie (B1). *Schulze*, U. Lateinisch-

deutsche Parallelurkunden des 13. Jhs. Ein Beitrag zur Syntax der mhd. Urkundensprache. München: Fink 1975.

E5. Das Frühneuhochdeutsche

Admoni, V. G. Razvitie struktury predloženija v period formirovani ja nemeckogo nacional'nogo jazyka (Die Entwicklung der Satzstruktur während der Entstehungszeit der dt. Nationalsprache). Leningrad: Akad. nauk SSSR, Institut jazykoznanija 1966. Ders. Der Umfang und die Gestaltungsmittel des Satzes in der dt. Literatursprache bis zum Ende des 18. Jhs., in: PBB (H) 89 (1967), 144–199. Ders. Luthers Arbeit an seinen Handschriften und Drucken in grammatischer Sicht, in: PBB (H) 92 (1970), 45-60. *Biener*, C. Veränderungen am dt. Satzbau im humanistischen Zeitalter, in: ZDPh 78 (1959), 72–82. *Boehm-Bezing*, G. von. Stil und Syntax bei Paracelsus. Wiesbaden: Steiner 1966. *Erben*, J. Grundzüge einer Syntax der Sprache Luthers. Berlin: Akademie-Verlag 1954. Ders. Die sprachgeschichtliche Stellung Luthers. Eine Skizze vom Standpunkt der Syntax, in: PBB (H) 76 (1955), 166-179. Ders. in: Kurzer Grundriß, 431–439. *Franke*, C. Grundzüge der Schriftsprache Luthers. Bd. 3, Satzlehre. Halle: Buchhandlung des Waisenhauses 1922; Nachdruck Hildesheim: Olms 1973. *Fuhrmann*, F. Beiträge zu einer grammatischen Darstellung der Sprache des Hans Sachs. Diss. Wien 1949 (Masch.). *Gumbel*, H. Dt. Sonderrenaissance in dt. Prosa. Strukturanalyse dt. Prosa im 16. Jh.. Frankfurt: Diesterweg 1930. *Hennig*, R. Satzbau und Aufbaustil im ›Ackermann aus Boehmen‹. Diss. University of Washington 1969. *Johansson*, E. Die Deutschordenschronik des Nicolaus von Jeroschin. Eine sprachliche Untersuchung. Lund: Lunder germanistische Forschungen 36, 1964 (Syntaktisches, 84–117). *Keller*, A. Zur Sprache des Chronisten Gerold Edlibach 1454–1530. Zürich: Juris Verlag 1965 (Syntax des Verbs, 74–140). *Klettke-Mengel*, I. Die Sprache in Fürstenbriefen der Reformationszeit. Köln: Grote 1973. *Korobova*, L. S. Nabljudenija nad stroeniem predloženija v nemeckom jazyke načala XVI veka (Zum Satzbau in der dt. Sprache am Anfang des 16. Jhs.), in: UZL 283, 1961, 83–97; mit gleichem Titel Diss. Moskau 1962. *Langholf*, B. Die Syntax des dt. Amadisromans. Hamburg: Buske 1971. *Rössing-Hager*, M. Syntax und Textkomposition in Luthers Briefprosa. Köln: Böhlau 1972. *Roloff*, H.-G. Stilstudien zur Prosa des 15. Jhs.. Köln: Böhlau 1970. *Simon*, K. A syntactic analysis of Luther's *Adventspostille*. Diss. Southern California 1969. *Stolt*, B. Die Sprachmischung in Luthers Tischreden. Stockholm: Almqvist & Wiksell 1964.

E6. Entwicklungstendenzen des heutigen Deutsch

Admoni, W. G. Die Entwicklungstendenzen des dt. Satzbaus von heute. München: Hueber 1973 (mit Bibliographie). Ders. Puti razvitija grammatičeskogo stroja v nemeckom jazyke (Entwicklungstendenzen im grammatischen Bau der dt. Sprache). Moskau: »Vysšaja škola« 1973. *Daniels*, K. Substantivierungstendenzen in der dt. Gegenwartssprache. Düsseldorf: Schwann 1963. *Eggers*, H. Dt. Standardsprache des 19./20. Jhs., in: LGL, 437–442. *Möslein*, K. Einige Entwicklungstendenzen in der Syntax der wissenschaftlichen-technischen Literatur seit dem Ende des 18. Jhs., in: PBB

(H) 94 (1974), 156–198. *Sommerfeldt*, K.-E. Zu einigen Entwicklungstendenzen im Satzbau der dt. Sprache, in: Probleme der Sprachwissenschaft. Den Haag: Mouton 1971, 208–216.

F. Das Verb

F1. *Allgemeines*

Biener, C. Syntaktische Beobachtungen an den ahd. Prudentiusglossen, in: PBB 64 (1940), 308–334 (Tempus, Modus, Inf., Part.). *Fourquet*, J. Das Werden des nhd. Verbsystems, in: U. Engel et al (Hrsg.), Festschrift für H. Moser zum 60. Geburtstag. Düsseldorf: Schwann 1969, 53–65. *Greule*, A. (B1- zum ahd. Verb). *Hermodsson*, L. Reflexive und intransitive Verba im älteren Westgerm.. Uppsala: Almqvist & Wiksell 1952. *Juntune*, T. (E3). *Keller*, A. (E5, 74–140). *Kuryłowicz*, J. Zur Vorgeschichte des getm. Verbalsystems, in: BSVL, 242–247. *Lawson*, R. A comparative study of the Latin and OHG verb forms in Tatian. Diss. UCLA 1957. *Relleke*, W. Funktionsverbgefüge in der ahd. Literatur, in: ABäG (1974), 1–46. *Rupp*, H. Zum dt. Verbalsystem, in: Satz und Wort im heutigen Dt. Düsseldorf: Schwann 1967, 148–164.

F2. *Tempus*

Banta, F. Tense and aspect in MHG, in: JEGP 59 (1960), 76–92. *Dal*, I. Zur Frage des süddt. Präteritumschwundes, in: H. Hartmann und H. Neumann (Hrsg.), Indogermanica. Festschrift für W. Krause. Heidelberg: Winter 1960, 1–7 (mit Literatur). *Ertzdorff*, X. von. Die Wiedergabe der lat. *Tempora Indicativi Activi* durch Notker den Dt. von St. Gallen, in: ASNS 202 (1965–66), 401–427. *Kiparsky*, P. Tense and mood in Indo-European syntax, in: FL 4 (1968), 30–57; dazu S. *Levin*, in: FL 5 (1969), 386–390. *Kuhn*, H. Perfekt und Perfektiv im Dt., in: Linguistische Studien III. Festgabe für P. Grebe zum 65. Geburtstag, Teil I. Düsseldorf: Schwann 1973, 184–206. *Lawson*, R. The OHG translations of Latin future active in *Tatian*, in: JEGP 57 (1958), 64–71. Ders. OHG past tense as a translation of Latin present tense in ›Tatian‹, in: JEGP 58 (1959), 457–464. *Paetzold*, F. Untersuchungen zum Vergangenheitsausdruck im mhd. Epos. Diss. Köln 1952 (Masch.). *Rompelman*, T. Form und Funktion des Präteritums im Germ., in: Neoph 37 (1953), 65–83. *Schröder*, W. Zur Behandlung der lat. Perfecta in Notkers kommentierter Übertragung der ersten beiden Bücher von ›De consolatione philosophiae‹ des Boethius, in: H. Backes (Hrsg.), Festschrift für H. Eggers. Tübingen: Niemeyer 1972, 392–415. *Strunk*, K. Zeit und Tempus in altidg. Sprachen, in: IF 73 (1968), 279–311. *Willde*, H. Die Zeitfolge in Thomas Murners ›Narrenbeschwörung‹ und ›Schelmenzunft‹. Frankfurt a. M.: Scheurle 1935.

F3. *Aspekt/Aktionsart*

Banta, F. (F2). *Dirks*, H. The development of aspects in German. Diss. Northwestern 1934; Zusammenfassung in: Northwestern University summaries of Ph. D. dissertations 2 (1934), 27–34. *Jacobson*, H. Aspektfragen, in: IF 51 (1933), 292–318. *Krämer*, P. Zum Problem der Aktionsarten im Dt. Versuch einer terminologischen Klärung mit Hilfe der Diachronie, in: A. Ebenbauer et al (Hrsg.), Strukturen und Interpretationen. Studien zur dt. Philologie gewidmet B. Horacek. Wien: Braumüller 1974, 212–225. Ders. Die inchoative Verbalkategorie des Alt- und Frühmhd., in: H. Birkhan (Hrsg.), Festgabe für O. Höfler zum 75. Geburtstag. Wien: Braumüller 1976, 409–428. *Kuhn*, H. (F2). *Mirowicz*, A. Die Aspektfrage im Got.. Rozprawy i Materjały Wydziału I Towarzystwa Przyjaciół Nauk w Wilnie, Tom VI, 1. Wilna 1935. *Pollak*, H. Problematisches in der Lehre von Aktionsart und Aspekt, in: ZDPh 86 (1967), 397–420. *Raven*, F. Aspekt und Aktionsart in den ahd. Zeitwörtern, in: ZMF 26 (1958), 57–71. Ders. Phasenaktionsarten im Ahd., in: ZDA 92 (1963), 165–183. *Schröbler*, 351–356 (mit Literatur). *Senn*, A. Verbal aspects in Germanic, Slavic and Baltic, in: Lg 25 (1949), 402–409. *Scherer*, P. Aspect in the OHG of Tatian, in: Lg 32 (1956), 423–434. *Streitberg*, W. Perfective und imperfective Aktionsart im Germ., in: PBB 15 (1890), 70–177. *Trnka*, B. Some remarks on the perfective and imperfective aspects in Gothic, in: St. W. J. Teeuwen et al (Hrsg.), Donum natalicium Schrijnen. Nijmegen-Utrecht: Dekker & van de Vegt 1929, 496–500. *Wedel*, A. Die Aktionsarten und die Funktion der untrennbaren Präfixe in der ahd. Benediktinerregel. Diss. Pennsylvania 1970. Ders. Subjective and objective aspect: the preterite in the OHG *Isidor*, in: Linguistics 123 (1974), 45–58. Ders. The verbal aspects of the prefixed and unprefixed verbal forms of *stantan, sizzan/sezzan, lickan/leckan* in the OHG *Benedictine Rule*, in: JEGP 73 (1974), 169–175. Ders. Der Konflikt von Aspekt/Zeitfolge und Aktionsart in der ahd. Übersetzung der *Benediktinerregel*, in: NPhM 77 (1976), 270–281.

*F4. Das Präfix *ga-/ge-*
Blumenthal, D. Johann Michael Moscherosch and his use of verbs with the prefix ge-. Diss. Pennsylvania 1968. *Hashimoto*, I. Noch einmal: Der Gebrauch des Präfixes ge- im Mhd., in: Hitotsubashi Journal of Arts and Sciences 2 (1960), 15–22. *Hummel*, R. The syntactical distribution of MHG preverbal ge- in selected *Urkunden* from Basel-Colmar-Freiburg im Breisgau. Diss. Chicago 1973. *Lawson*, R. The prefix gi- as a perfectivizing future significant in OHG *Tatian*, in: JEGP 64 (1965), 90–97. Ders. *Gi-* as futurizing prefix in the shorter OHG interlinear works, in: NPhM 67 (1966), 234–242. Ders. A reappraisal of the function of the prefix gi- in OHG *Tatian*, in: NPhM 69 (1968), 272–280. Ders. The verbal prefix ge- in the OHG and MHG Benedictine rules, in: JEGP 67 (1968), 647–655. Ders. Preverbal ke- in the earliest Old Alemannic, in: JEGP 69 (1970), 568–579. *Lindemann*, J. Old English preverbal ge-: Its meaning. Charlottesville: University Press of Virginia 1970 (mit Literatur). *Marache*, M. Le composé verbal en ge- et ses fonctions grammaticales en moyen haut allemand. Paris: Didier 1960. Ders. Die got. verbalen ga-Komposita im Lichte einer neuen Kategorie der Aktionsart, in: ZDA 90 (1960), 1–35. *Pollak*, H. Über ga- beim got. Verb, in: PBB (T) 93 (1971), 1–29. Ders. Zur Methode der Ermittlung von Bedeutung und Funktion der altgerm. Vorsilbe ga-, in: NPhM 76 (1975), 130–137. *Reinmuth*, H. The meaning of the preverb ge- in the *Nibelungenlied*. M. A.

thesis Chicago 1932. *Scherer*, P. The theory of the function of the preverb *ga-*, in: H. Lunt (Hrsg.), Proceedings of the IXth International Congress of Linguists. Den Haag: Mouton 1964, 859–861. *Smirnickaja*, S.V. Grammatizacija slovoobrazobatel'nyx elementov v istorii nemeckogo jazyka (na primere prefiksa ge-) (Grammatikalisierung der Wortbildungselemente in der Geschichte der dt. Sprache – am Beispiel des Präfixes ge-), in: Lingvističeskie issledovanija. Leningrad: Akad. nauk SSSR, Institut jazykoznanija 1970, 141–152. *Valk*, M. Die Bedeutung des Verbalpräfixes *ge-* in Gottfried von Straßburgs *Tristan*. Diss. Wisconsin 1937. *Watkins*, A. The function of the verbal prefix *ge–* in late MHG as exemplified in *Die Erlösung*. Diss. Stanford 1949. *Zatočil*, L. *Ge-* bei den sog. perfektiven und imperfektiven Simplizien, in: SFFBU A7 (1959), 50–64. Ders. Zum Schwund des Präfixes *ge-* in Temporalsätzen, in: SFFBU A9 (1961), 125–140.

F5. Periphrastische Verbalformen

F5a. Allgemeines
Benveniste, E. Mutations of linguistic categories, in: W. P. Lehmann und Y. Malkiel (Hrsg.), Directions for historical linguistics. Austin: University of Texas Press 1968, 85–94. *Oubouzar*, E. L'apparition des formes verbales périphrastiques dans le système verbal allemand. Diss. Paris 1971 (Masch.). Dies. Über die Ausbildung der zusammengesetzten Verbformen im dt. Verbalsystem, in: PBB (H) 95 (1974), 5–96. *Wellander*, E. (C).

F5b. Die Perfektperiphrase
Benveniste, E. »Être« et »avoir« dans leur fonctions linguistiques, in: E. B. Problèmes de linguistique générale. Paris: Gallimard 1966, 187–207. *Brinkmann*, H. (E3, Sprachwandel, 22–44; Studien, 32–52). *Dieninghoff*, J. Die umschreibungen aktiver vergangenheit mit dem participium praeteriti im ahd.. Bonn: Georgi 1904. *Paul*, H. Die Umschreibung des Perfektums im Dt. mit *haben* und *sein*, in: Abhandlungen der Bayerischen Akademie der Wissenschaften. I. Kl. 22. Bd., I. Abt. München 1902, 161–210; Nachtrag in: Sitzungsberichte der Bayerischen Akademie der Wissenschaften. Philosophisch-philologische und historische Klasse. Jg. 1918, 11. Abh. München 1918. *Zadorožny*, B. (F9, 382–387). *Zieglschmid*, A. Zur Entwicklung der Perfektumschreibung im Dt.. Baltimore: Language Diss. 6, 1929.

F5c. Die Futurperiphrase
Carr, G. A study of the use of *wollen* and the periphrastic future with *werden* in selected works of Martin Luther. Diss. Wisconsin 1969. *Kleiner*, M. Zur Entwicklung der Futur-Umschreibung *werden* mit dem Inf.. University of California Publications in Modern Philology 12 (1925–26), 1–101. Berkeley: University of California Press. *Saltveit*, L. Einige Bemerkungen zum dt. Futurum, in: ZDA 87 (1957), 213–228. Ders. Studien zum dt. Futur. Acta Universitatis Bergensis. Series Humaniorum Litterarum. 1961, Nr. 2. Bergen: 1962. dazu E. *Bach*, in: Lg 40 (1964), 439–445; B. *Ulvestad*, in: Lg. 40, 445–459; I. *Dal*, in: PBB(T) 86 (1964), 161–167; Replik v. L.S., in: PBB(T)

76

87 (1965), 227–234; W. *Schröder*, in: ADA 74 (1964), 156–165. *Schiehle*, B. Der Gebrauch von »Wellen« in der Wiener Genesis, im König Rother und im Rolandslied. Diss. Göttingen 1972. *Schröbler*, I. Bemerkungen zur ahd. Syntax und Wortbildung, ZDA 82 (1948), 240–251 (*thanne* + Präsens für Futurum). *Wolff*, L. Uns wil schiere wol gelingen. Von den in die Zukunft weisenden Umschreibungen mit »wollen«, in: PBB(T) 95 (1973) Sonderheft, 52–69.

F5d. Andere periphrastische Verbalformen
Erben, J. Laß uns feiern / Wir wollen feiern, in: PBB(H) 82 (1961) Sonderband, 459–471. *Gervasi*, T. La perifrasi verbo sostantivo + participio presente in Otfrid, in: SGerm 9 (1971), 32–70. *Limmer*, I. Sein + Inf. in der Entwicklung vom Mhd. zum Nhd.. Diss. München 1944 (Masch.). *Mossé*, F. Histoire de la forme périphrastique être + participe présent en Germanique. Paris: Klincksieck 1938. *Weiss*, E. Tun:machen. Bezeichnungen für die kausative und die periphrastische Funktion im Dt. bis um 1400. Stockholmer Germanistische Forschungen 1. Stockholm: Almqvist & Wiksell 1956.

F6. Modus: Konjunktiv, Imperativ
Furrer, D. Modusprobleme bei Notker. Berlin: de Gruyter 1971 (mit Literatur). *Hocke*, G. Untersuchungen über den Konjunktivgebrauch bei Johann von Olmütz und Heinrich von Mügeln. Corbach: Bing 1935 (Diss. Marburg 1931). *Lang*, W. Zur geschichtlichen Deutung der Konjunktive, in: DU 15 (1963), 67–76. *Mattsson*, G. Presens konjunktiv i den germanska konditionalsatzen, in: Studia Germanica tillägnade E. A. Kock. Lund: Gleerup 1934, 220–225. *Öhmann*, E. Der Modusgebrauch im mhd. und altfrz. Komparativsatz, in: NPhM 51 (1950), 113–116. *Stolle*, B. Der Konjunktiv im Ahd.. Diss. Köln 1947 (Masch.). *Wunder*, D. (M. Konjunktiv *passim*). *Zieglschmid*, A. The historical development of the past subjunctive in German, in: JEGP 29 (1930), 372–375.

F7. Aktiv/Passiv
Brinker, K. Das Passiv in der »Augsburger Konfession«, in: Studien zur Syntax des heutigen Dt. P. Grebe zum 60. Geburtstag. Düsseldorf: Schwann 1970, 162–188. *Lussky*, G. Uerdan und *uuesan* mit dem Partizip Passiv in der ahd. Tatianübersetzung, in: JEGP 23 (1924), 342–369. *Mittner*, L. Schicksal und Werden im Altgerm., in: WuS 20 (1939), 253–280. *Ogandžanjan*, F. G. Značenie i upotreblenie konstrukcij »*sin(werden)* + Partizip II« perechodnogo glagola v nemeckom jazyke 12–13 vekov (Bedeutung und Gebrauch der Konstruktion *s. (w.)* + Part. II der transitiven Verben im Dt. des 12.–13. Jhs.). in: Učenye zapiski Ivanovskogo gosudarstvennogo instituta (Ivanovo) 30 (1962), Nr. 2, 16–67. *Rupp*, H. Zum ›Passiv‹ im Ahd., in: PBB(H) 78 (1956), 265–286. *Schauwecker*, L. Zur Frage der Genera Verbi, in: IF 73 (1968), 48–56. *Schmidt*, K. Zum Agens beim Passiv, in: IF 68 (1963), 1–12. *Schröder*, W. Zur Passiv-Bildung im Ahd., in: PBB(H) 77 (1955), 1-76. Ders. Die Gliederung des got. Passivs, in: PBB(H) 79 (1957), 1-105. *Twaddell*, W. F. The morphology and syntax of the periphrastic passive in the German works of Notker III. Diss. Harvard 1930. Ders. *Werden*

und *wesen* with the passive in Notker, in: GR 5 (1930), 288–293. Ders. *Werdan* und *wesan* again, in: GR 7 (1932), 81–83. *Wistrand,* E. Über das passivum. Göteborg: Elander 1941. *Zadorožny,* B. (F9, 360–378). *Zieglschmid,* A. Is the use of *wesan* in the periphrastic actional passive in the Germanic languages due to Latin influence?, in: JEGP 28 (1929), 360–365. Ders. *Werdan* and *wesan* with the passive in various Germanic languages, in: GR 6 (1931), 389–396.

F8. *Der Infinitiv*
Biener, C. Die Doppelumschreibung der Praeteritopraesentia, in: ZDPh 57 (1932), 1–25. *Bondzio,* W. Zum Widerstreit der Objektverbindungen in dt. Inf.konstruktionen. Diss. Humboldt-Universität Berlin 1958 (Masch.). Ders. Die Herausbildung der präpositionalen Konstruktion beim Verbum »lassen«, in: WZUB 9 (1959–60), 205–219. *Dal,* Berøring mellom infinitiv og participium praeteriti i tysk, in: H. Bach et al (Hrsg.), Festskrift til L. L. Hammerich. Kopenhagen: Gad 1952, 79–88; dt. Fassung, Der Inf. mit dem syntaktischen Wert eines Participium Praeteriti, in: Dal, Untersuchungen, 194–200. *Deeg,* K. Der Inf. Perfekt im Frühmhd.. Diss. München 1948. *Ebert,* R. P. Infinitival complement constructions in Early New High German. Tübingen: Niemeyer 1976. *Ferrel,* H. The infinitive in OHG. Diss. Northwestern 1928. *Göransson,* C. Die doppelpräpositionalen Infinitive im Dt.. Diss. Göteborg. Wettergren & Kerber 1911. *Jacikevič,* M. Ju. Pro semantiku i sintaksične vživannja herundija v davn'overchn'onimec'kij movi (Zum Gerundiv im Ahd.), in: Inozemna filolohija (L'vov) 2 (1965), 78–82. *Jeffers,* R. Remarks on Indo-European infinitives, in: Lg 51 (1975), 133–148. *Kloocke,* H. Der Gebrauch des substantivierten Inf. im Mhd. Göppingen: Kümmerle 1974. *Kolb,* H. Über eine neuere Verwendungsweise von »um zu«, in: Mu 76 (1966), 135–143. *Lindqvist,* A. Über einen Fall von syntaktischer Assimilation, in: SNPh 16 (1943–44), 276–285 (Inf. statt Part. Prät. bei modalen Hilfsverben). *Ponten,* J. Der Ersatz- oder Scheininf., in: WW 23 (1973), 73–85. *Reed,* C. *Um.zu:* A test case, in: PhQ 37 (1958), 99–105. *Scaffidi-Abbate,* A. »Brauchen« mit folgendem Inf., in: Mu 83 (1973), 1–45. *Selcke,* B. A comparative syntax of the infinitive in the Old Germanic languages. Diss. Northwestern 1939. *Soeteman,* C. Das lat. Gerundivum und die germ. Sprachen. Neoph. 32 (1948), 15–21. *Voyles,* J. The infinitive and participle in Indo-European, in: Linguistics 58 (1970), 68–91. *Zatočil,* L. Zur Wiedergabe des Acc. c. Infinitivo im 14. und 15. Jh., in: PhP 2 (1959), 65–83.

F9. *Das Partizip*
Dal, I. Indifferenzformen in der Syntax. Betrachtungen zur Fügung »ich kam gegangen«, in: NTS 17 (1954), 489–497; abgedruckt in: Dal, Untersuchungen, 200–209. Dies. Participium Praeteriti mit dem syntaktischen Wert eines Inf. im Mnl. und Mhd., in: Fragen und Forschungen im Bereich und Umkreis der germ. Philologie. Festgabe für T. Frings. Berlin: Akademie-Verlag 1956, 130–141; abgedruckt in: Dal, Untersuchungen, 209–221. *Ekbo,* S. Studier över uppkomsten av supinum i de germanska språken med utgångspunkt i fornvästnordiskan. Uppsala universitets årsskrift 1943, Nr. 7.

Hirao, K. Fügungen des Typs *kam gefahren* im Dt., in: PBB 87 (1965), 204–226. *Lippert*, J. (E3- »Zum Gebrauch des appositiven Part.«, 98–144; »Zum Gebrauch absoluter Partizipialkonstruktionen«, 145–187). *Voyles*, J. (F8). *Zadorožny*, B. Zur Frage der Bedeutung und des Gebrauchs der Partizipien im Altgerm., in: PBB(H) 94 (1974), 52–76; PBB(H) 95 (1974), 339–387.

F10. Impersonalia

Brugmann, K. Der Ursprung des Scheinsubjekts »es« in den germ. und romanischen Sprachen, in: BerL 69,5, 1917. *Brandenstein*, W. Das Problem der Impersonalia, in: IF 46 (1928), 1–26 (mit älterer Literatur). *Chudjakova*, D. V. Istorija bezlichnych predložbenij v nemeckom jazyke. (Geschichte der unpersönlichen Sätze im Dt.). Diss. Moskau 1955. *Haiman*, J. Targets and syntactic change. Den Haag: Mouton 1974. *Havránek*, B. Die verba impersonalia der Naturerscheinungen und ihr stilistischer Wert, in: BSVL, 134–140. *Hennig*, J. Studien zum Subjekt impersonal gebrauchter Verben im Ahd. und Altniederdt.. Unter Berücksichtigung got. und altwestnordischer Zeugnisse. Diss. Göttingen (Masch.) 1958. *Lehmann*, D. und U. *Spranger*. Zum Problem der subjektlosen Sätze, in: ZPSK 21 (1968), 304–322.

G. Das Nomen

G1. Allgemeines

Carr, C. T. Number in OHG, in: JEGP 35 (1936), 214–242. *Gärtner*, K. Numeruskongruenz bei Wolfram von Eschenbach. Zur constructio ad sensum, in: W. Schröder (Hrsg.), Wolfram-Studien, Bd. I. Berlin: Schmidt 1969, 28–61. *Lindqvist*, A. Satzwörter. Eine vergleichende syntaktische Studie. Göteborg: Almqvist & Wiksell 1961. *Lingl*, A. Über den Gebrauch der Abstracta im Plural im Ahd. und Mhd.. Diss. München: Salisian Offizin 1934. *Pavlov*, M. Die substantivische Zusammensetzung im Dt. als syntaktisches Problem. München: Hueber 1972. *Stötzel*, G. Zum Nominalstil Meister Eckharts. Die syntaktischen Funktionen grammatischer Verbalabstrakta, in: WW 16 (1966), 289–309. *Wagner*, H. Zum Dual im Germ., in: KZ 74 (1956), 177–184.

G2. Kasus

Admoni, V. G. Razvitie funkcij raditel'nogo padeža v nemeckom jazyke (Entwicklung der Genitivfunktionen in der dt. Sprache), in: Trudy Instituta jazykoznanija Akad. nauk SSSR. Tom IX. Voprosy germanistiki. Moskau 1959, 257–290. Ders. (E6- zum Genitiv, 58–69). *Bauer*, R. Studien zum Wigalois des Wirnt von Gravenberc. Berlin: Ebering 1936 (zu Ruhe- und Richtungskonstruktionen, 24–57). *Carlberg*, B. Subjekts- und Objektsvertauschung im Dt.. Lund: Berlingska Boktryckeriet 1948. *Debrunner*, A. Aus der Krankheitsgeschichte des Genitivs. Bern: Eicher & Roth 1940 (29 S.); Abdruck aus dem Berner Schulblatt 1939/40, Nr. 39, 40, 41. *Kessler*, B. Ruhe und Richtung in der ahd. Verbalrektion. Diss. Marburg 1949 (Masch.). *Kolb*, H. Der inhumane Akkusativ, in: ZDW 16 (1960), 168–177. *Kozłows-*

ka, H. Formenneutralisierung im nominalen Bereich der dt. Sprache. Eine diachronische Studie. Poznańskie Towarzystwo Przyjaciol Nauk. Wydzial filolog.-filozof. Prace. Komisji językoznawczej. Tom IV, 1. Poznań 1969. *Milligan,* T. The German verb-genitive locution from OHG to the present: A study in structure of content. Diss. New York University 1960. *Peeters,* C. Was there a genitive of ›direction‹ in Gothic and Germanic?, in: KZ 88 (1974), 287–288. *Piirainen,* I. T. Die absoluten Kasuskonstruktionen des Dt. in diachronischer Sicht, in: NPhM 70 (1969), 448–470. *Shimomiya,* T. Gerumango ni okeru *dativus absolutus* (Der d. a. in den germ. Sprachen), in: Gengogaku Ronso 4 (1963), 41–58. Ders. ›System der Kasusfunktionen im Germ.‹ (Japanisch mit dt. Zusammenfassung), in: Doitsu Bungaku 51 (1973), 121–130. *Small,* G. The Germanic case of comparison. Philadelphia: Linguistic Society of America 1929. *Starke,* G. Konkurrierende syntaktische Konstruktionen in der dt. Sprache der Gegenwart. Untersuchungen im Funktionsbereich des Objekts, in: ZPSK 22 (1969), 25–65, 154–195; ZPSK 23 (1970), 58–84. *Suzawa,* T. ›Genitivus partitivus im Frühnhd.‹ (Japanisch mit dt. Zusammenfassung), in: Memoirs of the Faculty of General Education, Kumamoto University 1973, 29–47. *Weier,* W. Der Genitiv im neuesten Dt., in: MU 78 (1968), 222–235, 257–269. *Weisgerber,* L. Der Mensch im Akkusativ, in: WW 8 (1957–58), 193–205. *Wellander,* E. Zum Schwund des Genitivs, in: Fragen und Forschungen im Bereich und Umkreis der germ. Philologie. Festgabe für T. Frings. Berlin: Akademie-Verlag 1956, 156–172. *Wolff,* L. Über den Rückgang des Genitivs und die Verkümmerung der partitiven Denkformen, in: AASF B84 (1954), 185–198. *Zäch,* A. Der Nominativus pendens in der dt. Dichtung des Hochmittelalters. Bern: Haupt 1932.

G3. Pronomina

Adelberg, E. Die Sätze des Typus ›Ih bin ez Ioseph‹ im Mhd.. Berlin: Akademie-Verlag 1960. *Askedal,* J. Neutrum Plural mit persönlichem Bezug im Dt. unter Berücksichtigung des germ. Ursprungs. Trondheim: Universitetsforlaget 1973. *Brugmann,* K. (F10). *Danielsen,* N. Die negativen unbestimmten Pronominaladjektiva im Alt- und Mittelhochdeutschen, in: ZDS 24 (1968), 92–117. *Eggenberger,* J. Das Subjektspronomen im Ahd.. Diss. Zürich. Chur: Sulser 1961. *Erben,* J. Syntaktische Untersuchungen zu einer Grundlegung der Geschichte der indefiniten Pronomina im Dt., in: PBB(H) 72 (1950), 193–221; mit gleichem Titel Diss. Leipzig 1949 (Masch.). *Gerring,* H. Die unbestimmten Pronomina auf *-ein* im Alt- und Mittelhochdeutschen. Uppsala: Almqvist & Wiksell 1927. *Haiman,* J. (F10). *Hermann,* E. ›Jeder einzelne‹ in den germ. Sprachen, in: Nachrichten von der Gesellschaft der Wissenschaften zu Göttingen, Phil.-hist. Fachgruppe 4. Bd. 3, Nr. 7 (1940), 173–306. *Kolditz,* G. Syntaktische Untersuchungen der Indefinita *sum, ein, einîg* im Germ., in: PBB(H) 74 (1952), 225–268. *Meyer,* H. The authorship of the OHG *Tatian*: addition and non-addition of pronoun subjects. Diss. Chicago 1936. *Schulze,* W. Personalpronomen und Subjektsausdruck im Got., in: Beiträge zur germ. Sprachwissenschaft. Festschrift für O. Behaghel. Heidelberg: Winter 1924, 92–109.

G4. Der Artikel

Hartmann, D. Studien zum bestimmten Artikel in ›Morant und Galie‹ und anderen rheinischen Denkmälern des Mittelalters. Gießen: Schmitz 1967. *Heger,* L. Der bestimmte Artikel in einer Reihe von altgerm. Denkmälern. Věstník králavské česke společnoski nauk. Třída pro filosofii, historii a filologii, 1935, Nr. 7. Prag 1936. *Heinrichs,* H. M. Studien zum bestimmten Artikel in den germ. Sprachen. Gießen: Schmitz 1954. *Hodler,* W. Grundzüge einer germ. Artikellehre. Heidelberg: Winter 1954. *Kraus,* C. von. Das. sog. demonstrative *ein* im Mhd., in: ZDA 67 (1930), 1–22. *Kuhn,* H. Besprechung von H.M. Heinrichs (G4), in: ADA 68 (1955), 97–104; abgedruckt in: H. K. Kleine Schriften. Berlin: de Gruyter 1969, 291–299. *McClean,* R. The deictic use of ›ein‹ in MHG, in: MLR 29 (1934), 336–339. *Neumann,* R. Der bestimmte Artikel *ther* und *thie* und seine Funktionen im ahd. Tatian. Gießen: Schmitz 1967. *Schirokauer,* A. Zur Geschichte des Artikels im Dt., in: Monatshefte 33 (1941), 349–355; 34 (1942), 14–22. *Spitzer,* L. Mhd. *ein* in auffälliger Verwendung (mit romanischen Parallelen), in: NPhM 57 (1956), 285–315.

H. Das Adjektiv

Admoni, W. G. Die umstrittenen Gebilde der dt. Sprache von heute- III. Das erweiterte Partizipialattribut, in: Mu 74 (1964), 321–332. Ders. (E6- zum erweiterten Attribut, 49–58). *Baldauf,* E. Die Syntax des Komparativs im Got., Ahd. und As.. Diss. München 1938. Dachau: Bayerland. *Baur,* A. Das Adjektiv in Notkers Boethius, unter besonderer Berücksichtigung seines Verhältnisses zur lat. Vorlage. Zürich: Lang 1940. *Brinkmann,* H. Das dt. Adjektiv in synchronischer und diachronischer Sicht, in: WW 14 (1964), 94–104. *Cyganova,* I. A. Predikativnoe opredelenie v jazyke drevneverchnemeckogo perioda (Das predikative Attribut im Ahd. – zum Typ *er kam gesund an*), in: UZL, 223, 1958, 12–26. *Ebert,* R. P. A functional explanation of the development of extended prenominal participial constructions in German and why it fails, in: R. Grossman et al (Hrsg.), Papers from the Parasession on Functionalism. Chicago: Chicago Linguistic Society 1975, 150–155. *Eckert,* V. Beiträge zur Geschichte des Gerundivs im Dt.. Diss. Heidelberg 1909 (Berichtigungen in Paul, Dt. Gr. IV, 199 f.). *Giuffrida,* R. Das Adjektiv in den Werken Notkers. Berlin: Schmidt 1972. *Hankins,* G. The extended adjectival and participial attribute in MHG. M. A. thesis Chicago 1977. *Hawkins,* J. Rz. zu H. Weber (H), in: GLL 26 (1972–73), 363–367. *Kuno,* S. The position of relative clauses and conjunctions, in: LIn 5 (1974), 117–136. *Lehmann,* W. P. Comparative constructions in Germanic of the OV type, in: E. Firchow et al (Hrsg.), Studies for E. Haugen. Den Haag: Mouton 1972, 323–330. *Leijstroem,* G. Studier i det germanska adjektivets syntax I. Partitiva adjektiv, en satzanalytisk undersökning. Stockholm: Wahlström & Widstrand 1950. *Nordin,* P. G. Die Zusammensetzung von Adjektiv oder Adverb mit Adjektiv oder Partizip im Spätmhd.. Lund: Gleerup 1945. *Trutmann,* A. Studien zum Adjektiv im Got.. Berlin: de Gruyter 1972. *Weber,* H. Das erweiterte Adjektiv- und Partizipialattribut im Dt.. München: Hueber 1971.

Cruz, J. de la. The origins of the Germanic phrasal verb, in: IF 77 (1972), 73–96. *Fritz*, L. Die Steigerungsadverbia in den Denkmälern der mhd. Literatur von der Blütezeit bis zum 15. Jh.. Diss. München. Höfling 1934. *Hopper*, P. An Indo-European »syntagm« in Germanic, in: Linguistics 54 (1969), 39–43. *Johannisson*, T. Verbal och postverbal partikelkomposition i de germanska språken. Lund: Lindstedt 1939. *Markey*, T. L. A note on Germanic directional and place adverbs, in: SL 24 (1970), 73–86. *Müller*, G. Die ahd. Partikelkomposita, in: PBB 70 (1948), 332–350. *Müller*, G. und T. *Frings*. Syntax der Kleinwörter. [ahd.] *al.*, in: PBB 67 (1944), 404–419 (von T. F.); PBB 72 (1950), 420–452 (von G. M. u. T. F.). *Mumm*, S. Die Konstituenten des Adverbs. Computer-orientierte Untersuchung auf der Grundlage eines frühnhd. Textes, in: GermL 1974, 1-213. *Paraschkewoff*, B. Entwicklung der Adjektivadverbien im Ostmitteldt. vom Beginn der Überlieferung bis Luther. Diss. Leipzig 1967 (Masch.). *Pretzel*, U. Aus der Geschichte des Adverbs, in: MSS 16 (1964), 81–87. *Roberts*, M. The antiquity of the Germanic verb-adverb locution, in: JEGP 35 (1936), 466–481. *Ryder*, F. Verb-adverb compounds in Gothic and OHG.. Diss. Michigan 1950. *Voščinina*, E. I. K istorii glagolov s tak nazyvaemymi otdeljaemymi pristavkami v nemeckom jazyke – Na materiale drevne- i sredneverchnemeckogo jazyka (Zur Geschichte der Verben mit trennbaren Präfixen im Ahd. und Mhd.), in: UZL 233, 1958, 139–150. *Wolfrum*, G. Wortgeschichte und syntaktische Studien zu ahd. *also*, in: PBB(H) 80 (1958), 33–110.

J. Präpositionen

Carr, C. T. The oldest use of the preposition *zu* in German, in: JEGP 33 (1934), 219–221. *Eggers*, H. Beobachtungen zum »präpositionalen Attribut« in der dt. Sprache der Gegenwart, in: WW 8 (1957–58), 257–267. *Heringer*, H.-J. Präpositionale Ergänzungsbestimmungen im Dt., in: ZDPh 87 (1968), 426–457. *Krömer*, G. Die Präpositionen in der hochdt. Genesis und Exodus nach den verschiedenen Überlieferungen, in: PBB 39 (1914), 403–523; PBB(H) 81 (1959), 323–387; 82 (1960), 261–300; 83 (1961), 117–150; 84 (1962), 67–119; 86 (1964), 403–455. *Schieb*, G. *Bis*. Ein kühner Versuch, in: PBB(H) 81 (1959), 1–77. *Wolfrum*, G. Studien zu ahd. *bî* und zur Problemgeschichte der Präpositionen, in: PBB(H) 92 (1971), 237–324.

K. Negation

Bech, G. Ahd. *ni koli* ›noli‹, in: SNPh 42 (1970), 207–210. *Bulach*, N. A. Razivitie grammatičeskoj kategorii otricanija v nemeckom jazyke. (Entwicklung der Negation im Dt.). Diss. Moskau 1954. Ders. Razvitie mononegativnosti v sisteme otricanija v rannenovoverchnenemeckom periode (Die Entwicklung der einfachen Negation im Negationssystem des Frühnhd.), in: Voprosy teorii nemeckogo jazyka, Bd. I. Irkutsk, 1960, 35–48. *Coombs*, V.

A semantic syntax of grammatical negation in the older Germanic dialects. Diss. Illinois 1974. *Hellstern*, A. Die Negation im 16. Jh. Diss. Tübingen 1954 (Masch.). *Lawson*, R. Alternation of negative variants in OHG, in: NPhM 70 (1969), 344–351. *Mensing*, O. Zur Geschichte der volkstümlichen Verneinung, in: ZDPh 61 (1936), 343–380 (mhd. *nicht ein brôt*, usw.).

L. Satzverbindung, Einbettung

L1. Hypotaxe/Parataxe, Probleme des zusammengesetzten Satzes

Bednarczuk, L. Indo-European parataxis. Kraków: Wydawnictwo Naukowe Wyższej Szkoły Pedagogicznej 1971. *Dewell*, R. The means of clause connection in four prose dialogues by Hans Sachs. Diss. Tulane 1975. *Ebert*, R. P. On predicate complementation in Geiler's *Seelenparadies*. Diss. Wisconsin 1972. *Große*, R. Zur Hypotaxe bei Luther und in den spätmittelalterlichen Rechtsbüchern, in: PBB(H) 92 (1970), 76–92. *Hartung*, W. Die zusammengesetzten Sätze des Dt.. Studia Grammatica 4. Berlin: Akademie-Verlag 1964. *Nekrasova*, T. A. Grammatičeskie sredstva vyraženija podčinenija v nemeckom jazyke XVI v. (Die grammatischen Mittel des Ausdrucks der Unterordnung im Dt. des 16. Jhs.). Diss. Moskau 1954. *Sitta*, H. Semanteme und Relationen. Zur Systematik der Inhaltssatzgefüge im Dt.. Frankfurt: Athenäum 1971. *Stroeva-Sokol'skaja*, T. V. Razvitie složnopodčinennogo predloženija v nemeckom jazyke (Die Entwicklung des zusammengesetzten Satzes im Dt.). Leningrad: Leningrad gos. univ. 1940. *Ulvestad*, B. A syntactical problem in OHG, in: NPhM 59 (1958), 211–219 (indirekte Rede). *Wilkinson*, E. Complementation in the MHG *Iwein*. Diss. Princeton 1973. *Willems*, F. Der parataktische Satzstil im Ludwigslied, ZDA 85 (1954), 18–35.

L2. Die Konstruktion ἀπὸ κοινοῦ

Gärtner, K. Die Constructio ἀπὸ κοινοῦ bei Wolfram von Eschenbach, in: PBB(T) 91 (1969), 121–259. *Horacek*, B. Betrachtungen zur Konstruktion Apo koinou bei Wolfram von Eschenbach und Goethe, in: A. Eder et al (Hrsg.), Marginalien zur poetischen Welt. Festschrift für R. Mühlher. Berlin: Duncker und Humblot 1971, 5–18. *Meritt*, H. The construction ἀπὸ κοινοῦ in the Germanic languages. Stanford: Stanford University Press 1938. *Minis*, C. Die Konstruktion ἀπὸ κοινοῦ, in: PBB 74 (1952), 285–295.

M. Der Nebensatz, Konjunktionen

Åsdahl Holmberg, M. Exzipierend-einschränkende Ausdrucksweisen, untersucht besonders auf Grund hochdt. Bibelübersetzungen bis zum Anfang des 16. Jhs., Uppsala: Studia Germanistica Upsaliensis 4 1967. *Arndt*, E. Das Aufkommen des begründenden *weil*, in: PBB(H) 81 (1959), 388–415. Ders. Begründendes *da* neben *weil* im Nhd., in: PBB(H) 82 (1960), 242–260. *Askedal*, J. O. Zum mhd. »korrelativen Bindewort« *beidiu/beide . . . und(e)*, in: NTS 28 (1974), 9–40. *Duckert*, J. Das geschichtliche Verhältnis des vergleichenden *als* und *wie*, in: PBB(H) 83 (1961), 205–230. *Estabrook*, W. A partial structural analysis of reported speech in the MHG sermons of Berthold von Regensburg. Diss. Stanford 1967. *Flämig*, W. Untersuchungen zum Finalsatz im Dt. Synchronie und Diachronie, in: Sitzungsberichte der Dt. Akademie der Wissenschaften zu Berlin. Klasse für Sprachen, Literatur und Kunst. 1964, Nr. 5. *Fleischmann*, K. Verbstellung und Relieftheorie. Ein Versuch zur Geschichte des dt. Nebensatzes. München: Fink 1973 (Konjunktionen 114–210). *Görner*, H. Die Partikeln *denn* und *want* in der Königsberger Apostelgeschichte, in: PBB(H) 78 (1956), 286–306. *Handschuh*, D. Konjunktionen in Notkers Boethius-Übersetzung. Zürich: Juris-Verlag 1964. *Huldi*, M. Die Kausal-, Temporal- und Konditionalkonjunktionen bei Christian Kuchimeister, Hans Fründ und Niclas von Wyle. Winterthur: Keller 1957. Ders. Philologische Schlüsse aus dem Gebrauch von Konjunktionen, in: ZDA 87 (1957), 228–235. *Karg*, F. Zur Hypotaxe bei Hartmann von Aue II, in: PBB 56 (1932), 399–413. *Mark*, E. A. Razvitie pridatočnyx predloženij irreal'nogo sravnenija v nemeckom jazyke (Die Entwicklung des Nebensatzes des irrealen Vergleichs im Dt.). Diss. Leningrad 1959. *Müller*, G. und T. *Frings*. Die Entstehung der dt. *daß*-Sätze, in: BerL 103, H. 6 1959; zusammengefaßt in: H. Gipper (Hrsg.), Sprache, Schlüssel zur Welt. Festschrift für L. Weisgerber. Düsseldorf: Schwann 1959, 168–175. *Otte*, R. Die einleitenden Konjunktionen der Adverbialnebensätze in Sebastian Brants Narrenschiff. Diss. Freiburg 1961. *Rockwood*, H. A syntactic analysis of selected MHG prose as a basis for stylistic differentiations. Bern: Lang 1975. *Schieb*, G. Zum Nebensatzrepertoire des ersten dt. Prosaromans. Die Temporalsätze, in: D. Hofmann und W. Sanders (Hrsg.), Gedenkschrift für W. Foerste. Köln: Böhlau 1970, 61–77. Dies. Zum System der Nebensätze im ersten dt. Prosaroman. Die Objekt- und Subjektsätze, in: G. Feudel (Hrsg.), Studien zur Geschichte der dt. Sprache. Berlin: Akademie-Verlag 1972, 167–230. *Schröder*, W. Übergänge aus *oratio obliqua* in *oratio recta* bei Wolfram von Eschenbach, in: PBB(T) 95 (1973) Sonderheft, 70–92. *Stuckrad*, G. von. *Denn-dann* in historischer Sicht vom Ahd. bis zum Nhd., in: PBB(H) 79 (1957) Sonderband 489–535. *Tamsen*, M. Die Konjunktion *wann*. Geschichte und Stilwert, in: ZDPh 82 (1963), 378–411. *Walther*, J. *Hwanda* und *Wan*(praeter). Die Bewegung im Bereich der kausalen und exzipierenden Partikeln des Alt- und Mittelhochdeutschen. Diss. Freie Universität Berlin 1955 (Masch.). *Werbow*, S. Konjunktionale Adverbialsätze in dt. Unterhaltungsprosa des 15.–16. Jhs.. Diss. Johns Hopkins 1953. *Wolfrum*, G. und E. *Ulbricht*. Syntaktische Studien zu ahd. avur, in: PBB(H) 81 (1959), 215–241. *Wolfrum*, G. Syntaktische Studien zu ahd. *bî thiu*, in: PBB(H) 82 (1960), 226–241. *Wunder*, D. Der Nebensatz bei Otfrid. Heidelberg: Winter 1965. *Zatočil*, L. Zur Hypotaxe bei Hartmann von Aue I, in: PBB 56 (1932), 382–398. *Züllig*, A. Konjunktionen und konjunktionelle Adverbien in den Predigten Johannes Taulers. Diss. Zürich. Einsiedeln: Benzinger 1951.

N. Der Relativsatz

Beyschlag, S. Zur Entstehung des bestimmten Relativs *welcher,* in: ZDA 75 (1938), 173–187. *Haugann,* O. Zu den nicht-attributiven und den asyndetischen Relativsätzen im Mhd., in: NTS 28 (1974), 207–248. *Helgander,* J. The relative clause in English and other Germanic languages. A historical and analytical survey. Diss. Göteborg 1971. *Johansen,* H. Zur Entwicklungsgeschichte der altgerm. Relativsatzkonstruktionen. Kopenhagen: Levin & Munksgaard 1935. *Leirbukt,* O. Zur Beschreibung von ahd. Relativsätzen mit alleinstehendem *der,* in: NTS 25 (1971), 108–115. *Moskal'skaja,* O. I. Iz istorii otnositel'nogo podčinenija v germanskich jazykach (Aus der Geschichte der Relativhypotaxe in den germ. Sprachen), in: Trudy Instituta jazykoznanija Akad. nauk SSSR. Tom IX. Voprosy germanistiki. Akad. nauk SSSR 1959, 92–114. *Schröbler,* I. Vergleichendes und relatives *und* im Mhd., in: Festschrift H. de Boor. Tübingen: Niemeyer 1966, 136–149.

O. Wortstellung

Gosewitz, U. Wort- und Satzgliedstellung. Eine Bibliographie (in Auswahl), in: GermL 1973, H. 3, 3–142

O1. Historische Darstellungen

Admoni, W. G. Die Entwicklung des Ganzsatzes und seines Wortbestandes in der dt. Literatursprache bis zum Beginn des 19. Jhs., in: G. Feudel (Hrsg.), Studien zur Geschichte der dt. Sprache. Berlin: Akademie-Verlag 1972, 243–279. Ders. (E6- zum Satzrahmen im 16.–20. Jh., 86–97). *Behaghel,* O. Zur dt. Wortstellung, in: Zeitschrift für den dt. Unterricht 6 (1892), 265–267. Ders. Zur dt. Wortstellung, in: Wissenschaftliche Beihefte zur Zeitschrift des Allgemeinen Dt. Sprachvereins, Heft 17/18 (1900), 233–251. Ders. Der Nachsatz, in: PBB 53 (1929), 401–418. *Biener,* C. Zur Methode der Untersuchungen über dt. Wortstellung, in: ZDA 59 (1921–22), 127–144. Ders. Wie ist die nhd. Regel über die Stellung des Verbums entstanden?, in: ZDA 59 (1921–22), 165–179. Ders. Die Stellung des Verbums im Dt., in: ZDA 63 (1926), 225–256. *Bogoljubov,* M. D. O proischoždenii ramočnoj konstrukcii v nemeckom jazyke (Über den Ursprung der Rahmenkonstruktion im Dt.), in: Voprosy jazykoznanija 11, Nr. 4 (1962), 77–83. *Braune,* W. Zur Lehre von der dt. Wortstellung, in: Forschungen zur dt. Philologie. Festgabe für R. Hildebrand. Leipzig: Veit 1894, 34–51. *Engel,* U. Studie zur Geschichte des Satzrahmens und seiner Durchbrechung, in: Studien zur Syntax des heutigen Dt. P. Grebe zum 60. Geburtstag. Düsseldorf: Schwann 1970, 45–61. *Fleischmann,* K. (M). *Fourquet,* J. Genetische Betrachtungen über den dt. Satzbau, in: W. Besch et al (Hrsg.), Studien zur dt. Literatur und Sprache des Mittelalters. Festschrift für H. Moser zum 65. Geburtstag. Berlin: Schmidt 1974, 314–323. *Haiman,* J. (F10). *Horacek,* B. Zur Verbindung von Vorder- und Nachsatz im Dt., in: PBB(H) 79 (1957) Sonderband, 415–439. *Kavanagh,* J. The verb-final rule in High German: a diachronic analysis of surface structure constraints. Diss. Michigan 1970. *Kefer,*

M. Die Erforschung der Entwicklung des nhd. Satzbaus anhand der quantitativen und der sprachtypologischen Methode, in: RLaV 40 (1974), 528–539. *Maurer,* F. Zur Anfangsstellung des Verbs im Dt., in: Beiträge zur germ. Sprachwissenschaft. Festschrift für O. Behaghel. Heidelberg: Winter 1924, 141–184. Ders. Untersuchungen über die dt. Verbstellung in ihrer geschichtlichen Entwicklung. Heidelberg: Winter 1926; dazu J. *Ries,* in: ADA 45 (1926), 164–167. *Preusler,* W. Zur Stellung der Verbs im dt. Nebensatz, in: ZDPh 65 (1940), 18–26. *Šubik,* S. A. K istorii porjadka slov v nemeckom jazyke (Zur Geschichte der Wortstellung im Dt.), in: Lingvističeskie issledovanija. Leningrad: Akad. nauk SSSR, Institut jazykoznanija 1970, 153–170.

O2. Zum Indogermanischen und Germanischen
Behaghel, O. Zur Stellung des Verbs im Germ. und Idg., in: KZ 56 (1929), 276–281. *Canale,* M. Implicational hierarchies of word order relationships, in: Current Progress, 39–69 (zum Ae. und Germ.). *Dressler,* W. Eine textsyntaktische Regel der idg. Wortstellung (Zur Anfangsstellung des Prädikatverbums), in: KZ 83 (1969), 1–25. *Fourquet,* J. L'ordre des éléments de la phrase en Germanique ancien. Paris: Les Belles Lettres 1938; dazu K. *Schneider,* in: Anglia Beiblatt 50 (1939), 225–233. *Friedrich,* P. (E1). *Hopper,* P. (E2). *Kuhn,* H. Zur Wortstellung und -betonung im Altgerm., in: PBB 57 (1933), 1–109; abgedruckt in: H. K. Kleine Schriften, Bd. I. Berlin: de Gruyter 1969, 18–103. *Lehmann,* W. P. (E1). *Miller,* D. G. Indo-European: VSO, SOV, SVO or all three, in: Lingua 37 (1975), 31–52. *Mueller,* H. Studien zur altgerm. Wortstellung. Diss. Berlin: P. Funk 1930. *Ramat,* P. Ist das Germ. eine SOV-Sprache?, in: L. Forster und H.-G. Roloff (Hrsg.), Akten des V. Internationalen Germanisten-Kongresses Cambridge 1975. Heft 2. Bern: Lang 1976, 25-35. *Schlachter,* W. Zur Stellung des Adverbs im Germ. Leipzig: Mayer & Müller 1935. *Schneider,* K. Die Stellungstypen des finiten Verbs im urgerm. Haupt- und Nebensatz. Heidelberg: Winter 1938; dazu H. *Kuhn,* in: Anglia Beiblatt 50 (1939), 234–241; abgedruckt in: H. K. Kleine Schriften, Bd. I., 165–170. *Smith,* J. Word order in the older Germanic dialects. Diss. Illinois at Urbana-Champaign 1971. *Wackernagel,* J. Über ein Gesetz der idg. Wortstellung, in: IF 1 (1892), 333–436. *Watkins,* C. Preliminaries to a historical and comparative analysis of the syntax of the Old Irish verb, in: Celtica 6 (1963), 1–49. Ders. Preliminaries to the reconstruction of Indo-European sentence structure, in: H. Lunt (Hrsg.), Proceedings of the IXth International Congress of Linguists. Den Haag: Mouton 1964, 1035–1042. *Werth,* R. The problem of a Germanic sentence prototype, in: Lingua 26 (1970), 25–34.

O3. Zum Althochdeutschen, Mittelhochdeutschen, Frühneuhochdeutschen
Barber, C. Word-order in Thomas Murner's ›An den großmechtigsten . . . Adel . . .‹, in: MLR 46 (1951), 454–457. *Bolli,* E. Die verbale Klammer bei Notker. Untersuchungen zur Wortstellung in der Boethius-Übersetzung. Berlin: de Gruyter 1975. *Černyševa,* I.I. Stanovlenie normy mestopoloženija skazuemogo v nemeckom literaturnom jazyke (Die Herausbildung der Norm der Stellung des Prädikats in der dt. Literatursprache). Diss. Moskau 1945. *Domašnev,* A.I. Sintaksičeskie nabljudenija nad gorodskoj (delovoj)

prozoj Germanii XIII–XV vv. (Mestopoloženie glavnych členov samostojatel'nogo povestvovatel'nogo predloženija) (Syntaktische Beobachtungen zur dt. Geschäftsprosa des 13.–15. Jhs. – Die Stellung der Hauptkonstituenten des selbständigen Aussagesatzes). Diss. Moskau 1954. *Hammarström,* E. Zur Stellung des Verbums in der dt. Sprache. Studien in volkstümlicher Literatur und Urkundensprache der Übergangszeit vom Mhd. zum Nhd. Lund: Gleerup 1923. *Hartmann,* W. Zur Verbstellung im Nebensatz nach frühnhd. Bibelübersetzungen. Diss. Heidelberg [1969]. *Horacek,* B. Zur Wortstellung in Wolframs Parzival, in: Anzeiger der Österreichischen Akademie der Wissenschaften, phil.-hist. Klasse 89, 1952, 270–299. Dies. Kunstprinzipien der Satzgestaltung. Sitzungsberichte der Österreichischen Akademie der Wissenschaften. Phil.-hist. Klasse 243, Nr. 5. Wien 1964. *Huber,* C. Zur Wortstellung in den epischen Werken Hartmanns von Aue. Die einleitenden Satzglieder und die Stellung des Verbums in den selbständigen Sätzen. Diss. Wien 1956 (Masch.). *Keienburg,* M. Studien zur Wortstellung bei Predigern des 13. und 14. Jhs., sowie bei Johannes von Saaz. Diss. Köln. Teildruck Köln: Hauptmann 1934. *Körner,* M. Die Stellung des finiten Verbums in den aussagenden Hauptsätzen von Gottfrieds Tristan. Diss. Wien 1964 (Masch.). *Küpper,* K. Studien zur Verbstellung in den Kölner Jahrbüchern des 14./15. Jhs.. Bonn: Röhrscheid 1971. *Kriesch,* T. Zur Wortstellung im Nibelungenlied. Die einleitenden Satzglieder und die Stellung des Verbums in den selbständigen Sätzen des Nibelungenliedes. Diss. Wien 1958 (Masch.). *Lahofer,* G. Die Gestaltung des Nachsatzes im Märterbuch. Diss. Wien 1950 (Masch.). *Lawson,* R. The position of the verb in Notker's OHG psalm translations, in: ABäG 5 (1973), 63–76. *Lehmann,* W. P. On the rise of SOV patterns in New High German, in: K. G. Schweisthal (Hrsg.), Grammatik Kybernetik Kommunikation. Festschrift für A. Hoppe. Bonn: Dümmler 1971, 19–24. *Lippert,* J. (E3- »Zur Stellung des Verbs im aussagenden Hauptsatz«, 52–97). *Margetts,* J. Die Satzstruktur bei Meister Eckhart. Stuttgart: Kohlhammer 1969. *Pollak,* W. Der Nachsatz im Nibelungenlied. Diss. Wien 1942 (Masch.). *Reis,* H. Über ahd. Wortfolge, in: ZDPh 33 (1901), 212–238, 330–349. *Rockwell,* L. Zur Wortstellung in der Zimmerschen Chronik mit besonderer Berücksichtigung des Satzanfangs. Diss. New York University 1924, gedruckt Lancaster, Pa. 1928. *Rosenstingl,* M. Der Nachsatz in der Kudrunlied. Diss. Wien 1941 (Masch.). *Rotter,* I. Zur Wortstellung in der Kudrun. Die einleitenden Satzglieder und die Stellung des Verbums in den selbständigen Sätzen der Kudrun. Diss. Wien 1956 (Masch.). *Rybakova,* N. I. Nekotorye čerty sintaksisa nemeckogo jazyka XIII–XIV vv. na materiale rannix gramot (zakreplenie mestopoloženija skazuemogo) (Gewisse Züge der Syntax der dt. Sprache des 13.–14. Jhs. auf Grund von frühen Urkunden – Festigung der Stellung des Prädikats). Diss. Moskau 1953. *Schildt,* J. Zur Ausbildung des Satzrahmens in Aussagesätzen der Bibelsprache ›1350–1550‹, in: PBB(H) 90 (1968), 174–197. Ders. Die Satzklammer und ihre Ausbildung in ober- und mitteldt. Bibeltexten des XIV. bis XVI. Jhs., in: Norma i social'naja differenciacija jazyka. Moskau: Akad. nauk SSSR, Institut jazykoznanija 1969, 146–158. Ders. Die Satzklammer und ihre Ausbildung in hoch- und niederdt. Bibeltexten des 14. bis 16. Jhs., in: G. Feudel (Hrsg.), Studien zur Geschichte der dt. Sprache. Berlin: Akademie-Verlag

1972, 231–242. *Schuster,* E. Der Nachsatz im Tristan. Diss. Wien 1949 (Masch.). *Swinburne,* H. Word-order and rhythm in the ›Ackermann aus Böhmen‹, in: MLR 48 (1953), 413–420. *Šubik,* S. A. Prisoedinitel'naja funkcija porjadka slov v drevneverchnenemeckom jazyke (Funktion der Wortstellung im Ahd.), in: Naučnye doklady Vysšej školy, Filologičeskie nauki (Moskau) 7, 1964, Nr. 3, 126–132. *Thieme,* K. Zum Problem des rhythmischen Satzschlusses in der dt. Literatur des Spätmittelalters. München: Hueber 1965. *Twaddell,* W. F. A main clause with »final« verb in Notker's Boethius, in: JEGP 31 (1932), 403–406. *West,* L. A descriptive analysis of the prose word order in *Das Heiligenleben* by Hermann von Fritzlar. Diss. Vanderbilt 1969.

O4. Wortstellung in der Nominalgruppe

Behaghel, O. Zur Stellung des adnominalen Genitivs im Germ. und Dt., in: KZ 57 (1930), 43–63. Ders. Die Stellung des attributiven Adjektivs im Dt., in: KZ 57 (1930), 161–173. *Carr,* C. T. The position of the genitive in German, in: MLR 28 (1933), 465–479. *Leys,* O. Einbettung und Theory of Performance. Ein Beispiel aus der dt. Grammatik, in: Lingua 21 (1968), 278–286 (Zur Konstruktion *das Haus von Wilhelms Vater*). *Margetts,* J. (O3- Stellung des Genitivs, 73–76). *Zatočil,* L. Zur Stellung des adnominalen Genitivs im Ahd. und Ae., in: SFFBU A 10 (1962), 119–131.

O5. Auslassung des Hilfsverbs im Nebensatz

Biener, C. Von der sog. Auslassung der Kopula in eingeleiteten Nebensätzen, in: NS 33 (1925), 291–297. *Bock,* R. Zum Gebrauch der gliedsatzähnlichen Konstruktion »Ersparung der temporalen Hilfsverben *haben* und *sein*« in den Flugschriften der Epoche der frühbürgerlichen Revolution, in: ZPSK 28 (1975), 560–573.

SACHREGISTER

Abduktive Innovation 11, 16
Absichtssatz 26 f.
Absoluter Akkusativ 17
Adjektiv 44 f., 51; mit Inf. 30; erweitertes Adjektivattribut 34, 46 f.; Stellung 45 f.
Adverb 20
Akkusativ 51 ff.; Akk. + Inf. 17; absoluter Akk. 17
Akkusativierung 53
Aktionsart 58
Analogie 15 f., 56 f.
Analytische Form 51 f., 57

Analytischer Sprachbau 18
Anfangsstellung des Vf. 34 ff.
Anstatt zu + Inf. 32
Artikel 43 ff.
Aspekt 58, 63
Asyndetische Parataxe 19
Ausklammerung 39 ff., 52
Auslassung des Hilfszeitworts 13
Attraktion 22
Auf daß (Konjunktion) 27, 32
Auxiliarisierung 64

Bekommen-Passiv 63 f.

Damit 27, 32
Dank (Präposition) 14
Daß 25 ff., 29, 32, 41 f., 51
Dativ 53; Dativ + Inf. (got.) 12;
  possessiver Dativ 12
Deduktive Innovation 11
Demonstrativpronomen 21 ff.,
  25 f., 44
Dependenzgrammatik 50

Elementarsatz 20, 32, 33 f., 49
Endsilbenschwächung 54
Endstellung des Vf. 34 ff., 48
Entlehnung 7, 16 f., 31, 59
Ersatzinfinitiv 13
Erweitertes Attribut 34, 42, 46 ff.
Es (Scheinsubjekt) 53 ff.
Es sei denn, daß . . . 14
Ethnozentrische Betrachtungs-
  weise 7
Exzipierende Sätze 14

»Fernstellung« von attributiven
  Adjektiven und Genitiven 46
Finalsatz 26 f.
Flexionsendungen 43
Folgesatz 26 f.
Formenneutralisierung 51
For . . . to + Inf. (engl.) 12
Funktionelle Erklärung des Wan-
  dels 18, 48
Für zu + Inf. 31
Futur 13, 60 f.

»Gedeckte« Anfangsstellung des
  Vf. 36, 56
Gel, gelt 14
Generative Grammatik (s. a.
  Transformationsgrammatik) 2,
  8, 10, 15, 47 f., 50
Genitiv 13, 50, 51 ff.; Stellung des
  Genitivattributs 45 f.
Ge-Präfix 58, 60
Gerundiv 49
Gliederungsverschiebung s. Um-
  deutung der Konstruktion
Grammatikalisierung 14, 57, 59,
  61 ff.
Grammatische Kategorie: Umdeu-
  tung der grammatischen Kate-
  gorie 13

Haben + *zu* + Inf. 14
Hauptsatz 19 f., 33, 54 f.

Hyotaxe 17, 19 ff., 26, 33 f.

Imperativ 14
Impersonalia 55 f.
Indifferenzform 13, 29, 51, 61
Indifinitiv 28 ff., 32, 34, 51, 56,
  60 f.; Akk. + Inf. 17; Ersatz-
  oder Scheininf. 13; Stellung
  des Inf. 43; substantivierter Inf.50
Inhaltliche Betrachtungsweise 52,
  53
Inversion nach *und* 38 f.
Isolierung 14

Kasussynkretismus 51
Kausalsatz 26 f.
Konsekutivsatz 26 f.
Konjunktion 20
Konjunktiv 16, 20
Konstruktionsmischung s. Konta-
  mination
Kontamination 16, 24
Kraft (Präposition) 14

Lassen -Konstruktionen 15 f.
Lateinischer Einfluß 41, 43, 48
Lehnsyntax 7, 16 f., 31, 59

Maybe (engl.) 14

Nachsatz 39
Nebensatz 19 f., 33, 36, 54, 56
Negation 52
Neizwer, usw. (mhd.) 14
Neutralisierung 51 f., 55 f.
Neuinterpretation s. Umdeutung
  der Konstruktion
Nominalisierung 34
Norm (Coseriu) 2, 11
Nur 14

Objekt 50 ff.
Objektsatz 26 f.
Ohne zu + Inf. 32

Parataxe 19 ff., 26
Partizip: erweitertes Partizipialat-
  tribut 34, 46 ff.; Stellung 43;
  Partizipium futuri oder passivi
  49; Part. Präs. 60 f.; Part. Prät.
  (Fügung *ich kam gegangen*) 13
Passiv 15, 18, 61 ff.
Perfekt 57 ff.
Periphrastische Formen 18, 57 ff.

Personalpronomen 54
Peut-être (frz.) 14
Phasenopposition 62
Präposition 51; aus Nomen 14;
    präpositionale Ergänzungen 34;
    präpositionales Attribut 50
Präpositionalobjekt 52
Psychologische Faktoren 18

Quellenwahl 5

Rahmenkonstruktion (= Satzrah-
    men, Satzklammer) 39 ff., 48
Reanalysis s. Umdeutung der
    Konstruktion
Relieftheorie (Weinrich) 42
Relativpartikel 23
Relativpronomen 21 ff.
Relativsatz 21 ff., 36, 47
Romanischer Einfluß 44, 45, 59

Satzgefüge 32, 34
Satzklammer s. Rahmenkonstruk-
    tion
Scheininfinitiv 13
Scheinsubjekt 53 ff.
Schulgrammatik 42
Schwache Adjektivformen 44
Sein + *zu* + Inf. 29
So (Relativpartikel) 24
So daß 27, 32
Soziale Bedingungen des Wandels
    1 f., 3
Späterstellung des Vf. 35 ff.
Sprachtypologie 18
Starke Adjektivformen 44
Statt 14; *statt zu* + Inf. 32
Subjekt 50, 53 ff.; Subjektprono-
    men 53 ff.
Subjektsatz 26 f.
Subjektloser Satz 53, 55 f.
Substantivgruppe 43 ff., 49 f.
Synchronie/Diachronie 2 f.
Synkretismus 13, 51, 61
Syntaktische Rekonstruktion 7
Synthetische Form 51
Synthetischer Sprachbau 18
System (Coseriu) 2, 11

Teleologische Erklärung 4, 27
Tempus 18, 57 ff.
Transformationsgrammatik (s. a.
    generative Grammatik) 47 f., 56
Trotz (Präposition) 14
Typologie s. Sprachtypologie,
    Wortstellungstypologie

Übersetzungstexte 7
Um zu + Inf. 12, 30 ff.
Umdeutung der grammatischen
    Kategorie 13
Umdeutung der Konstruktion 9,
    12, 17, 22, 23, 30, 32, 55 f., 64
Umschriebene Form s. periphra-
    stische Form
Und (als Relativpartikel) 23 f.; In-
    version nach *und* 38 f.
Unbestimmter Artikel 45
Uniformitarian principle (Labov)
    7
Unpersönliche Konstruktion 53,
    55 f.

Valenz (Wertigkeit) 50 f.
Variation 3, 6, 7, 26
Verb: mit Inf. 30; Stellung 34 ff.
Verschiebung der Gliederung s.
    Umdeutung der Konstruktion
Verschränkung (= Verschlingung)
    33

Während 14
Was (Relativpartikel) 24
Was für (ein) 12
Weil 27
Welcher (Relativum) 25
Wer (Relativum) 24
Werden 13, 60 ff.
Wertigkeit (Valenz) 50 f.
Wo (als Relativpartikel) 24
Wortstellungstypologie 8, 18, 37,
    42

Zentrifugale Wortfolge 42
Zentripetale Wortfolge 42, 48
Zweistellung des Vf. 20, 34 ff., 56

M 44 Nagel *Hrotsvit von Gandersheim*
M 45 Lipsius *Von der Bestendigkeit. Faksimiledruck*
M 46 Hecht *Christian Reuter*
M 47 Steinmetz *Die Komödie der Aufklärung*
M 48 Stutz *Gotische Literaturdenkmäler*
M 49 Salzmann *Kurze Abhandlungen. Faksimiledruck*
M 50 Koopmann *Friedrich Schiller I: 1759–1794*
M 51 Koopmann *Friedrich Schiller II: 1794–1805*
M 52 Suppan *Volkslied*
M 53 Hain *Rätsel*
M 54 Huet *Traité de l'origine des romans. Faksimiledruck*
M 55 Röhrich *Sage*
M 56 Catholy *Fastnachtspiel*
M 57 Siegrist *Albrecht von Haller*
M 58 Durzak *Hermann Broch*
M 59 Behrmann *Einführung in die Analyse von Prosatexten*
M 60 Fehr *Jeremias Gotthelf*
M 61 Geiger *Reise eines Erdbewohners i. d. Mars. Faksimiledruck*
M 62 Pütz *Friedrich Nietzsche*
M 63 Böschenstein-Schäfer *Idylle*
M 64 Hoffmann *Altdeutsche Metrik*
M 65 Guthke *Gotthold Ephraim Lessing*
M 66 Leibfried *Fabel*
M 67 von See *Germanische Verskunst*
M 68 Kimpel *Der Roman der Aufklärung (1670–1774)*
M 69 Moritz *Andreas Hartknopf. Faksimiledruck*
M 70 Schlegel *Gespräch über die Poesie. Faksimiledruck*
M 71 Helmers *Wilhelm Raabe*
M 72 Düwel *Einführung in die Runenkunde*
M 73 Raabe *Einführung in die Quellenkunde*
M 74 Raabe *Quellenrepertorium*
M 75 Hoefert *Das Drama des Naturalismus*
M 76 Mannack *Andreas Gryphius*
M 77 Straßner *Schwank*
M 78 Schier *Saga*
M 79 Weber-Kellermann *Deutsche Volkskunde*
M 80 Kully *Johann Peter Hebel*
M 81 Jost *Literarischer Jugendstil*
M 82 Reichmann *Germanistische Lexikologie*
M 83 Haas *Essay*
M 84 Boeschenstein *Gottfried Keller*
M 85 Boerner *Tagebuch*
M 86 Sjölin *Einführung in das Friesische*

M 87 Sandkühler *Schelling*
M 88 Opitz *Jugendschriften. Faksimiledruck*
M 89 Behrmann *Einführung in die Analyse von Verstexten*
M 90 Winkler *Stefan George*
M 91 Schweikert *Jean Paul*
M 92 Hein *Ferdinand Raimund*
M 93 Barth *Literarisches Weimar. 16.–20. Jh.*
M 94 Könneker *Hans Sachs*
M 95 Sommer *Christoph Martin Wieland*
M 96 van Ingen *Philipp von Zesen*
M 97 Asmuth *Daniel Casper von Lohenstein*
M 98 Schulte-Sasse *Literarische Wertung*
M 99 Weydt *H. J. Chr. von Grimmelshausen*
M 100 Denecke *Jacob Grimm und sein Bruder Wilhelm*
M 101 Grothe *Anekdote*
M 102 Fehr *Conrad Ferdinand Meyer*
M 103 Sowinski *Lehrhafte Dichtung des Mittelalters*
M 104 Heike *Phonologie*
M 105 Prangel *Alfred Döblin*
M 106 Uecker *Germanische Heldensage*
M 107 Hoefert *Gerhart Hauptmann*
M 108 Werner *Phonemik des Deutschen*
M 109 Otto *Sprachgesellschaften des 17. Jahrh.*
M 110 Winkler *George-Kreis*
M 111 Orendel *Der Graue Rock (Faksimileausgabe)*
M 112 Schlawe *Neudeutsche Metrik*
M 113 Bender *Bodmer/Breitinger*
M 114 Jolles *Theodor Fontane*
M 115 Foltin *Franz Werfel*
M 116 Guthke *Das deutsche bürgerliche Trauerspiel*
M 117 Nägele *J. P. Jacobsen*
M 118 Schiller *Anthologie auf das Jahr 1782 (Faksimileausgabe)*
M 119 Hoffmeister *Petrarkistische Lyrik*
M 120 Soudek *Meister Eckhart*
M 121 Hocks/Schmidt *Lit. u. polit. Zeitschriften 1789–1805*
M 122 Vinçon *Theodor Storm*
M 123 Buntz *Die deutsche Alexanderdichtung des Mittelalters*
M 124 Saas *Georg Trakl*
M 126 Klopstock *Oden und Elegien (Faksimileausgabe)*
M 127 Biesterfeld *Die literarische Utopie*
M 128 Meid *Barockroman*
M 129 King *Literarische Zeitschriften 1945–1970*
M 130 Petzoldt *Bänkelsang*